A LITERARY
HOLIDAY COOKBOOK

FESTIVE MEALS FOR THE
SNOW QUEEN
SH...
AND BOO...

JN079668

世界の名作文学から

ホリデーの
ごちそう料理帳

アリソン・ウォルシュ

白石裕子訳

原書房

真のホビットの心を持つ、ちっちゃなミスへ

目次

分量について
原書ではアメリカ規格の1カップ＝240mlでレシピが作成されていましたが、日本版では日本の1カップ＝200mlに換算して記載しました。

はじめに

困難に直面したとき、必ず心の慰めになってくれるものが2つあります。よい本とおいしい料理です。これを書いている今はまさにパンデミックのまっただ中で、今ほどその2つのありがたみを実感しているときはありません。隔離され、「ノーマル」な日常を奪われた人々はお菓子を焼いたり、いつも心を癒やしてくれる愛読書を手に取ったりして、なんとかしのいでいます。わが家では、夫が毎日ソーダブレッドを焼き、午後になると、それにジャムをつけて食べながら、わたしが4人の子どもたちに大好きな本を読んで聞かせています。こんな時期だからこそ、ありふれた日常に人生の喜びを感じるのかもしれません。

おいしい料理と素晴らしい物語は、わたしたちの心を癒やしてくれます。つらいときにも希望を持つことを思い出させてくれます。テーブルを囲んで食事をしたり、本を読んだりしていると、わたしたち人間は楽しむために生まれてきたのだと改めて思います。わたしたちは物語を求めるのと同じように、祝うことを求めるようにできているのです。だから、祝祭の物語はわたしたちの心に永遠に刻まれているのかもしれません。

古典の名作がわたしたちの心をとらえて放さないのは、まるでそこに住んでいるかのような気分を味わえるからです。レッドウォール修道院の祝宴の席に座ったり、謎めいた女王にターキッシュ・ディライトを勧められている自分の姿を思い描くことができま

す。クリスマスの日、マーチー家が雪道を歩いて貧しいフンメル一家に運んでいく朝食のおいしそうなにおいも想像できます。こういったおなじみの場面を読み返すたび、おなかが鳴りそうになりますが、残念ながら、物語の中のごちそうは頭で思い描くことしかできませんでした——今までは。

そんな名作に登場するごちそうの数々を家にいながらにして味わうことを、アリソン・ウォルシュが可能にしてくれました。クラチット一家とごちそうの並んだクリスマスの食卓を囲んだり、インガルス家のお母さんの作ったメープルキャンディをつまんだり、クマのプーさんとカトルストン・パイを分け合って食べるのは、もはや空想でもなんでもありません。信頼できるレシピとともに、そのもととなった作品についても紹介しています。エプロンをつけて実際に作ってみても、お茶を淹れてレシピに目を通すだけでも、楽しめること間違いなしです。

この愛らしい本は古典の名作を再発見し、キッチンでよみがえらせる機会を与えてくれます。お友だちとテーブルを囲んで大好きだった本の話をするのもいいでしょう。外でどんなに激しい嵐が吹き荒れていようとも、読書とおいしい食事は時を選ばず楽しむことができます——この美しい料理本をガイドになさってください。

ヘイリー・スチュワート
ポッドキャスター、講演者、『The Grace of Enough』『The Literary Medicine Cabinet』著者

読者のみなさまへ

わたしが最初から料理が好きだったわけではないと聞くと、みなさん驚かれます。子どものころ、夕食を作るお手伝いをさせられたときには、ぶうぶう文句を言ったものです。料理はクリエイティブな表現手段かもしれないと気づいたのは、大学に入って生まれて初めて料理本を買ってからです。

でも、本はずっと大好きでした。

まだよちよち歩きだったころから、家にあるいちばん大きな本——辞書と聖書——を引っ張り出してきて、何が書いてあるのかわかりもしないのに、夢中になってページを眺めていました。文字を理解できるようになると、貪るように本を読みました。今思えば、料理と物語の世界を融合させたブログ「不思議の国のアリソンのレシピ」を開設し、料理本を出版したのは必然だったのかもしれません。

『世界の名作文学からホリデーのごちそう料理帳（A Literary Holiday Cookbook）』は、料理が好きな人も、物語が好きな人も楽しめる本にしたいと思いました。何よりも料理初心者の方でも簡単に作れるレシピでなければなりません。自分の料理の技術や創造性は脇に置き、わかりやすさを第一に考えました。泡だて器とフライ返しの区別がつかなくても、好

きな物語に登場する料理を楽しむ権利はあります。

祝祭日の料理についても同じように思っています。そもそも、祝祭日は祝うためにあるのです。楽しい日のはずです。七面鳥を焼いたり、豪華なデザートを作ったりしなくては、と憂鬱な気分になっていては本末転倒です。それも楽しんでほしいのです。レシピを見て、**わたしにも作れそう！** と思えなければなりません。

そんなわけで、本書にはさまざまなレベルの方を対象にしたレシピがあります。『くるみ割り人形とねずみの王様』のねずみの王様のチーズ（61ページ）は手軽なクリスマス料理を作りたい方に最適。〈レッドウォール伝説〉のロームヘッジのナッツブレッド（103ページ）では、パン作りに挑戦します。『若草物語』の全粒小麦のパン（43ページ）では、さらに本格的な技術を学びます。お菓子作りが趣味で、本格的なレシピにチャレンジしたい方は、『オペラ座の怪人』のチョコレート・ストロベリー・オペラケーキ（213ページ）はいかがでしょうか？　全工程の中に、ジョコンド、自家製のイチゴシロップ、アーモンドバタークリーム、ガナッシュという4つのレシピが含まれています。

とはいえ、難易度の高いレシピも、新しい技術を身につけたい方なら誰でも、手軽にトライできます。どのレシピも、工程を単純化したり、技術や用語を詳しく解説したりして、初心者でもわかりやすくなっています。前出の全粒小麦のパンも、生地を成形する方法を細かく示しました。オペラケーキも同様です。七面鳥やガチョウの丸焼きのレシピも、塩水に浸けたり、足を胴にくくりつけたり、手の込んだ詰め物を作ったりはしません。代わりに、艶出し（グレーズ）を塗ったり、スパイスをすり込んだり、香料を使ったりして、料理を格上げすることができます。

　要するに、どんな方でも、バジルを細かく刻む方法を知っていようといまいと、祝祭日を祝うテーブルに座る席はあるということです。ジョー・マーチとアスランの隣に座り、ガンダルフにお酒を注いでもらい、レッドウォールの動物たちとお祝いの歌を歌いましょう。祝祭日がやってきました！

アリソン・ウォルシュ
「不思議の国のアリソンのレシピ」のクリエイター
Wonderlandrecipes.com

my usual absurd wa_ The things were just what
_ for being made in_ead of bought. Beth's ne_

d _u_t__'_ __ of hard gingerbread wil_ _e a

ar the nice flannels you sent, Marmee, an _d

s marked. Thank you all, heaps and heap

_nds _me that I'm getting rich in t__ ___, ___ on

_ gave me _ fin_ Shakespeare. It_ _ one he values

_red it, set up in the place of h__ _or with his Ger-

_nd Milton, so y_u may imagi__ e how I felt when

_t its cover, and sh__ved me m_ own name in it,

_haer."

_h a library. Here I gif you one, for between these

_ny books in one. Read him well, and he will help

_haracter in this book will help you to read it in

_ your pen."

_s _ould and talk now about "my library." as

コツ、ヒント、代用品

どんな料理人にも、時間が足りない、材料を用意できていないという
ピンチがあるものです。ここでは、いざというときのための
わたしのとっておきの方法をお教えします。

湯せん用二重鍋がない

湯せん用二重鍋がない場合は、ソースパンに湯を沸かし、その上に手持ちのセラミックボウルをのせてください。ただし、湯の量は少なめに。ボウルの底が湯に触れるほど入れる必要はありません。

バターミルクがない

牛乳1⅛カップにレモン汁大さじ1を混ぜ、5分置いてください。

卵を常温に戻すのを忘れた

レシピには卵を常温に戻しておくとあるのに、冷蔵庫から出しておくのを忘れてしまったときには、卵をぬるま湯に10分浸けてから使いましょう。

バターが軟らかくならない

バターを軟らかくしている時間がなかったり、冬のキッチンでは冷蔵庫から出しておいてもなかなか軟らかくならなかったりします。バターをすぐに軟らかくするには、クッキングシートを2枚用意し、2枚のあいだにバターを挟み、めん棒で約5mmに伸ばしてくだ

さい。クッキングシートを素早くはがせば、常温に戻したバターと同じように使えます。

ジェル状の食用色素がない

本書のレシピにはジェル状の食用色素と、一般的な液状の食用色素を使うものがあります。ジェルは液体よりも濃縮されているので、加わる水分量が少なくなり、より鮮やかに発色します。レシピにジェル状の食用色素を使うように指定されているのに、手元にないときは、ジェル状1滴に対して、液状2〜3滴で代用できます。

エディブルフラワー（食用の花）がない

本書にはエディブルフラワーを使うレシピがあります。パンジー、イチゴ、リンゴ、柑橘類の花を指定していますが、ない場合には、インターネットで安全な代用品を入手できます。無農薬のきれいな花を使うようにしてください。花は食べることができても、ほかの部分は食用に適さない場合がありますので、注意しましょう。

後片付けが面倒くさい

クッキーのレシピでは、キッチンのカウンターなどの表面に打ち粉をしてから生地を成形するように指示しています。後片付けが面倒という方は、まな板を使えばすぐに洗い流すことができますし、食洗機に入れることもできます。

ハチミツがうまく量れない

ハチミツやシロップなどの粘着性のある液体を正確に量るのはひと苦労です。どうしてもスプーンにねばねばした液体が残ってしまいます。これを防ぐには、計量スプーンに調理用オイルをスプレーしてから量ることをお勧めします。ただし、同じ方法でそのあとにバターなどの油脂や卵を加えるか、すでにバターや卵を加えたあとにかぎられます。ハチミツを使うマフィンを作る場合は、計量スプーンにオイルをスプレーしてから、ハチミツ、バター、卵を加えるか、バターと卵を加えたあとに、オイルをスプレーした計量スプーンでハチミツを加えてください。メレンゲのように油分の量に正確を期す必要のあるレシピには、油分が多くなりすぎてしまうおそれがあるので、この方法はお勧めできません。

無塩バターがない

材料に無塩バターとあるレシピと有塩バターとあるレシピがあります。分けているのは、計量の正確さを期し、できあがりにばらつきがないようにするためです。でも、レシピどおりのバターがなくても、あわてないで。120gの有塩バターには、ちょうど小さじ¼の塩分が含まれているので、この割合で量を調節してください。いつもこのやり方をするのはお勧めできませんが、仕上がりに大差はないはずです。パイ生地のような塩分を必要としないレシピには、必ず無塩バターをお使いください。

CHRISTMAS
クリスマス

古典文学の中には、家族で祝うクリスマスのディナーが核になっている作品がいくつかあります。『若草物語』のマーチ一家、あるいは『クリスマス・キャロル』のクラチット一家の質素ながらもたくさんの料理が並ぶクリスマスのディナーを覚えている方は多いのではないでしょうか。そこには自分も家族の一員になりたくなるような温かさがあります。しかし、豊かな食卓は、貧困を際立たせる重要な役割も担っています。『若草物語』では、マーチ一家がそれぞれ欲しいものを我慢して用意したクリスマスの特別な朝食を、食べるものもないほど困窮しているフンメル一家に提供します。『クリスマス・キャロル』では、スクルージがクラチット家の窓から、協力し合ってクリスマスのごちそうを作る家族の仲睦まじい様子を目の当たりにします。それを眺めているスクルージはといえば、寒空の下にひとり閉め出され、今見ているような家族の愛情に飢えています。

　2つの物語はわたしたちにクリスマスの本当の贈り物はお金で買えるものではなく、寛大な愛だということを思い出させ、スクルージと同じく誓いを迫られている気分になります。

「わたしは心からクリスマスを尊び、その気持ちを一年中忘れないようにします。わたしは過去、現在、未来の中に生きます。3人の幽霊の方々は、わたしの心の中でわたしを励ましてくださるでしょう。お三方から教えていただいたことは決して忘れません」

――チャールズ・ディケンズ著『クリスマス・キャロル』より、スクルージの台詞

ディケンズ愛読者のためのクリスマスシーズン

『クリスマス・キャロル』

チャールズ・ディケンズ著

わたしたちひとりひとりに、神のご加護がありますように！

MENU

- アップルソース（19ページ）
- タマネギとセージ入りガチョウの丸焼き（21ページ）
- チョコレート・プロフィトロール・
  クリスマス・プディング（23ページ）
- ダッチェス・ポテト（27ページ）

クリスマス

アップルソース

7⅛カップ分

リンゴ（マッキントッシュ）……約1.3kg
リンゴ（ふじ）……約1.3kg
ブラウンシュガー（計量カップにきっちり詰めて量っておく）……³⁄₈カップ
アップルサイダー……³⁄₄カップ（180ml）
レモン汁……大さじ1½
レモンの皮……約2.5×5cmのもの2枚
シナモンスティック……2本
ショウガ（皮をむき、3枚にスライスしておく）……約30g
塩……小さじ¼

クラチット夫人が肉汁（グレービー）（前もって小さなソースパンに作っておいた）**を温め、息子のピーターが力いっぱいジャガイモをつぶし、娘のベリンダがアップルソースに砂糖を入れた。**

アップルソースを手作りする利点は、なんといっても、自分好みのソースが作れることです。リンゴの食感がほとんど残っていないなめらかなソース、リンゴの形や食感が残っているソース、その中間など自由自在。香料を加えてみるのも楽しいです。このレシピではシナモン、ショウガ、レモンを使っていますが、バニラビーンズ、クローブの粒、ナツメグやオレンジピールなど、いろいろ試してみてください！

作り方

1. リンゴの皮をむき、芯をくりぬく。8等分し、大きめの鍋に入れる。残りの材料をすべて加え、ざっとかき混ぜる。

2. 鍋を中火にかけ、蓋をしてときどきかき混ぜながら25分煮る。マッキントッシュはほとんど形が残らないが、ふじは形が残ったまま軟らかくなる。火から下ろしたら、香料（レモンの皮、シナモンスティック、ショウガのスライス）を取り除く。粗い食感が好きなら、鍋に入れたままポテト・マッシャーまたは厚手のグラスの底でリンゴをつぶす。なめらかな食感が好きなら、ミキサーにかける。

3. 密閉できる容器に移し、冷蔵庫で保存。

ディケンズ愛読者のクリスマス・パーティーに！

タマネギとセージ入り
ガチョウの丸焼き

ガチョウ1羽(約4.5kg)分

⋯⋯⋯⋯⋯⋯⋯⋯⋯⋯⋯⋯⋯⋯⋯⋯⋯⋯⋯⋯

ガチョウ(首と臓物を取り除いてあるもの)⋯⋯
1羽(約4.5kg)
コーシャーソルト[ユダヤ教徒が使う粗塩]
⋯⋯大さじ1½(分けて使用)
黒コショウ⋯⋯小さじ½
オリーブオイル⋯⋯大さじ2
オニオンパウダー⋯⋯小さじ1
セージの葉(みじん切りにしておく)⋯大2枚
黄タマネギ(4等分しておく)⋯⋯1個
生のセージの小枝⋯⋯大2本
ニンニク(皮をむき、つぶしておく)⋯⋯4片
ショウガ(皮をむいておく)⋯⋯約40g

>>> 特別な道具
天板⋯⋯約33×46cm

そこへクラチット家の子どもたち、男の子と女の子が駆け込んできて、パン屋のところでガチョウのにおいがすると思ったら、うちのだった、とはしゃいだ声で言い、セージやタマネギがたっぷり入っている様子を思い浮かべながら、テーブルの周囲を踊りまわった⋯⋯。

　ガチョウの丸焼きはクラチット家のクリスマス・ディナーの主役ですが、あなたの家でも作れます！　でも、前もって塩水に浸けたりなど、脂肪が数cmもあるガチョウを料理するのは面倒ですよね。それなら、どうしたらいいか？　答えは、ガチョウをローストパン[肉をオーブンで焼く際に用いる専用の調理器具]ではなく、大きめの天板の上に置いた網にのせて焼けばいいのです。網から滴り落ちる脂で天板があふれそうになったら、バスター[滴り落ちた肉汁を吸い取り、あとで肉にかけ直すときに用いる大型のスポイトのような調理器具]で吸い取ってください。

....

1. ガチョウをペーパータオルで拭き、それぞれ大さじ1の塩とコショウを表面全体にすり込む。約33×46cmの天板にアルミホイルを敷き、その上に網をのせる。ガチョウを網にのせ、ラップをしないで冷蔵庫で10時間冷やす。

2. ガチョウを冷蔵庫から出し、室温で30分置く。オーブンを180℃に予熱。

3. ガチョウの表面全体、臓物が取り除かれたおなかの中にもオリーブオイルをすり込む（七面鳥やチキンでするように胸肉の皮をはがす必要はない）。

4. 小さめのボウルに調味料の残りの塩大さじ½、オニオンパウダー、セージの葉のみじん切りを入れ、混ぜる。それをガチョウにすり込む。ガチョウのおなかの中に4等分したタマネギ、セージの小枝、ニンニク、ショウガを詰める。足を胴にくくりつける必要はない（そうすることで、火が均一に通る）。手羽先を背中にたくし込んで、1時間15分焼く。

5. 230℃に温度を上げ、30分以上焼く。肉の中の温度が75℃に達していれば、焼きあがり。

6. 出す前に30分休ませる。

ヴィクトリア朝時代のクリスマスのごちそうを再現してみよう！

MEMO ガチョウは高価だが、あとあとの食事にも使え、値段に見合うだけの価値はある。天板にたまった脂をこして密閉できる瓶に入れ、冷蔵庫で保存しておけば、野菜を炒めるときに使える。食べ終わったら、骨を取っておいて3〜4つに折る。大きめの鍋に、ニンジン、タマネギ、ニンニク、生のローズマリー、月桂樹の葉2枚といっしょに入れ、具材がかぶる程度の水を注ぐ。蓋をして強火にかけ、沸騰したら、弱めの中火に落とし、45分ぐつぐつ煮る。液体をこして瓶に入れると、ガチョウのスープストックのできあがり！

MEMO ガチョウの胸肉は、チキン、または七面鳥の胸肉よりも小さく、色が濃い。切り分けたときに、焦げたような色になっていても、焼きすぎというわけではない。

チョコレート・プロフィトロール・クリスマス・プディング

26個分

>>> ブランデーカスタードクリーム
全卵……1個
卵黄……1個
砂糖……$\frac{3}{10}$カップ
コーンスターチ……大さじ1½
塩……2つまみ
全乳……1⅛カップ (240ml)
ブランデー……大さじ1
バニラ・エキストラクト……小さじ1

>>> シュー生地
小麦粉……$\frac{3}{5}$カップ
ココアパウダー……$\frac{3}{5}$カップ
砂糖……$\frac{3}{10}$カップ
バター (軟らかくしておく)……120g
水……1⅛カップ (240ml)
卵 (室温に戻し、よく溶いておく)……4個

>>> アイシング
粉糖……$\frac{3}{5}$カップ
牛乳……大さじ1

>>> 飾り
クランベリー
ミントの葉

1分もたたないうちにクラチット夫人が入ってきた。上気した顔に誇らしげな笑みを浮かべ、点々のある大砲の弾のようなプディングを捧げ持っている。硬くて、しっかりしていて、4分の1パイントの半分のそのまた半分のブランデーの火で燃え、てっぺんにはクリスマスのひいらぎが飾られていた。

　クリスマス・プディングはイギリスの伝統的なクリスマス料理ですが、蒸して作るプディングは不安定で、作るのに時間もかかります。そこで、伝統的なプディングの見た目と味だけを拝借し、ほかのデザートと合体させました。今も昔も人気のシュークリームです。

作り方

1. ブランデーカスタードクリームを作る。ボウルに全卵、卵黄、砂糖、コーンスターチ、塩を入れ、かき混ぜておく。中くらいのソースパンに牛乳、ブランデー、バニラ・エキストラクトを入れて中火にかけ、膜が張ったり、底が焦げつくのを防ぐためにときどきかき混ぜながら沸騰させる。沸騰したら、火を止め、卵を混ぜた液に沸騰した牛乳の混合液の⅓を入れ、そっとかき混ぜてよく混ぜ合わせる。さらに⅓入れ、同様にかき混ぜる。残りの牛乳の混合液に卵の混合液を何回かに分けて入れ、混ぜ合わせる。

2. 再び中火にかけ、絶えずかき混ぜながら2分加熱する (とろみがつき、ふつふつしはじめる)。さらに1分かき混ぜる。

3. 火から下ろし、密閉容器に移してから、さらに1分かき混ぜる。蓋を閉め、冷蔵庫で90分冷やす。20分たったら、カスタードクリームの上にラップをかぶせる。ラップがカスタードクリームに直接触れるようにする (クリームに膜が張るのを防ぐため)。

4. シュー生地を作る。まず、オーブンのラックをいちばん上の段

といちばん下の段にセットする。オーブンを200℃に予熱。2つの天板にクッキングシートを敷いておく。小麦粉、ココアパウダー、砂糖をボウルにふるい入れておく。

5. 中くらいのソースパンにバターと水を入れ、弱火にかける。バターが完全に溶けたら、中火に強める。沸騰したら火を止め、粉類をいっきに入れ、ゴムベラで手早くかき混ぜる。再び中火にかけ、絶えずかき混ぜながら2分加熱する。火から下ろし、大きめのボウルに移す。溶き卵を大さじ1ずつ何回か加え、ハンドミキサーの中速でなめらかになるまで撹拌する。

6. 絞り出し袋に口径1cmの丸口金をつけ、4のシュー生地を入れる。

7. 2枚の天板に最低5cm間隔を空けて、小山を13個絞り出す（天板の決めた位置に絞り出し袋を持っていき、均等に力を入れて10秒押し出すと、5cmの大きさの小山が作れる）。指に水をつけ、とがったてっぺんをそっとならす。

8. 天板をオーブンに入れ、20分焼く。温度を180℃に下げ、天板の上下の位置と向きを変え、さらに20分焼く。オーブンに入れたまま10分休ませ、ケーキクーラーに移して冷ます。

9. 絞り出し袋に口径5mmの丸口金をつける。冷蔵庫で冷やしたカスタードクリームをスプーンでかき混ぜ、絞り出し袋に移す。それぞれのプロフィトロールの底によく切れるナイフで小さな「×」印の切れ込みを入れ、そこに絞り出し袋の先を差し込んで、クリームを注入する。

10. アイシングを作る。小さめのボウルに粉糖と牛乳を入れ、よく混ぜ合わせる。スプーンですくって、プロフィトロールの小山のてっぺんにかける。

11. クリスマスらしく、てっぺんにクランベリーとミントの葉を飾る。

クラチット家のクリスマス・ディナーに！

ダッチェス・ポテト

21個分

• •

ラセットポテト……約680g（中4個くらい）

バター……120g（分けて使用）

ニンニク（みじん切りにしておく）……2片

牛乳……大さじ1

塩……小さじ½

コショウ……小さじ¼

卵黄……4個分

マイルド・チェダーチーズの角切り……
約120g

ピーター・クラチットはひどく大きなシャツの立ち襟が口に入ってしまうのもおかまいなしに、ジャガイモの鍋をフォークでかき混ぜていた……立派な身なりをしたのがうれしく、社交界の人々が集う公園で見せびらかしたくなった。

　ガーリック味のマッシュポテトにはサプライズとして、中にチェダーチーズが入っています！

作り方 •

1. オーブンを220℃に予熱。天板に油を塗っておく。

2. ジャガイモの皮をむき、4等分する。中くらいの大きさのソースパンに入れ、ジャガイモがかぶる程度、底から5cmの高さまで水を入れる。中火にかけ、15分煮る。フォークで刺してすっと通ればOK。湯を捨て、ジャガイモを大きめのボウルに移す。

3. ハンドミキサーの中速で2分間攪拌する。バター90g、ニンニク、牛乳、塩、コショウを加え、なめらかになるまで攪拌する。卵黄を1個分ずつ入れ、さらに攪拌する。

4. 3を大きめの星形の口金をつけた絞り出し袋に入れ、天板に等間隔に隙間のない円を描く。

5. それぞれの円の中央に角切りのチーズを軽く押し込むようにのせ、チーズをおおうようにジャガイモのペーストを絞り出して先端をとがらせる。

6. 残りのバター30gを溶かし、とがった先端に塗る。

7. 端がこんがりときつね色になるまで20分焼く。

エレガントなクリスマスのディナーに！

長い冬のための料理

〈ナルニア国物語〉

C・S・ルイス著

「あの人はナルニアをずっと冬にしてしまったの。
いつも冬なのに、クリスマスは来ないのよ。ひどいと思わない!」

ディゴリーのリンゴ

40個分

リンゴ（ハニークリスプ）……1個
リンゴ（グラニースミス）……1個
ザクロ……1個
ヤギのチーズ……約120g
牛乳……小さじ2
生のタイムの小枝……3〜4本
ハチミツ

>>> 特別な道具
ステンレス製のこし器（ストレーナー）

ディゴリーはすぐにその木だとわかった。ちょうど真ん中に立っていたし、たわわに実った銀色に輝く大きなリンゴの実が、日差しの届かない日陰にも銀色の光を投げかけていたからだ。

―― 『魔術師のおい』

作り方

1. リンゴの芯をくりぬき、約1cmの厚さにスライスしておく。ザクロを半分に切り、水を張った大きめのボウルに入れる。ボウルの中で皮をむく（果汁の染みがつくのを防ぐため）。こし器（ストレーナー）でこして種を取り出しておく。タイムの小枝の端をつまみ、指を下向きに滑らせて葉を取り除く。残りの小枝も同様にする。葉のみを使用。

2. 中くらいのボウルにヤギのチーズを入れ、ハンドミキサーでそぼろ状になるまで撹拌する。牛乳を加え、なめらかなペースト状になるまでさらに撹拌する。

3. リンゴのスライスに2のチーズを小さじ½程度塗る。ザクロの種とタイムの葉をのせ、ハチミツを少量かける。

ナルニア国の誕生を祝って！

アスランの食卓から来た七面鳥

4人分

>>> 七面鳥
冷凍の骨付き七面鳥の胸肉(解凍しておく)
……1枚(約2kg)
オリーブオイル……大さじ1
レモンの皮……大さじ1
コーシャーソルト……小さじ2
コショウ……小さじ½
ハチミツ……⅜カップ
レモン汁……大さじ1

>>> ブラックベリーソース
冷凍ブラックベリー……約450g
スイート・ブラックベリー・ワイン……1⅛
カップ(240ml)
レモンの皮……大さじ1
レモン汁……大さじ1
砂糖……小さじ2
ショウガのすりおろし……小さじ½
コーシャーソルト……小さじ¼

>>> 特別な道具
ステンレス製のこし器(ストレーナー)

とはいえ、テーブルの上には見たこともないほど豪華なごちそうが並んでいた……七面鳥にガチョウ、クジャク、イノシシの頭とシカのばら肉もあった……果物やワインの香りが漂っていて、あらゆる幸せが約束されているかのように思えた。
—— 『夜明けのむこう号の航海』

　少人数のパーティーならば、七面鳥の丸焼きの代わりに骨付きの胸肉がお勧めです。ハチミツとレモンで艶出しした料理は、ブラックベリー・ワインソースと相性抜群です。

作り方

1. 七面鳥を焼く。天板にアルミホイルを敷いておく。オーブンを180℃に予熱。七面鳥を洗い、ペーパータオルで水気を拭き取る。七面鳥を天板にのせ、指でそっと身から皮を持ち上げ、オリーブオイルをすり込む。小さめのボウルに調味料のレモンの皮、塩、コショウを入れてかき混ぜる。それを皮の下やおなかの中も含め、全体にすり込む。

2. 小さめのボウルにハチミツとレモン汁を入れ、よく混ぜ合わせる。それを皮の下も含め、七面鳥全体に刷毛で塗る。垂れ下がった皮は羽のまわりにたくし込む。首の垂れ下がった皮は首の穴(指でそっと皮と身を分け、ポケットを作る)の皮の下にたくし込むことができる。

3. オーブンで1時間焼く。＊30分後、天板の向きを変え、15分おきにグレーズを塗る。1時間たったら、温度を230℃に上げ、さらに15分おきにグレーズを塗りながら、20〜30分焼く。肉用の温度計を刺して75℃に達していれば完成。必要ならば、焼き上がる20分前に胸肉の上にアルミホイルをかぶせて焦げつきを防ぐ。30分休ませる。

　＊七面鳥の胸肉が自立しない場合は、耐熱性のココット皿などで両脇から支える。

4. ブラックベリーソースを作る。中くらいのソースパンにすべての材料を入れ、混ぜ合わせ、中火にかける。ときどきかき混ぜながら沸騰させる。沸騰したら弱めの中火に落とし、ときどきかき混ぜながら15分煮る。ポテト・マッシャー、または厚手のグラスの底でブラックベリーをつぶす。ブラックベリーの実をスプーンで押しながら、こし器でこす。こし器の底をすくって、すべての実から果汁を押し出したか確認する。こした液を鍋に戻して火にかけ、こし器に残った実は捨てる。さらに10分加熱する。火から下ろし、15分休ませる。

夜明けの向こうを目指して旅を続ける疲れた旅人たちへ！

クリスマス

レモン・ターキッシュ・ディライト

32個分
....

砂糖……2⅖カップ
冷水……¾カップ(180ml)
ゼラチン……2袋(大さじ1½弱)
レモン汁……小さじ1½
レモン・エキストラクト……小さじ2
黄色の食用色素……2滴
粉糖……⅜カップ
コーンスターチ……⅜カップ

女王が瓶から雪の上にもう一滴たらすと、またたく間に、緑色の絹のリボンを結んだ円い箱が現れた。開けると、最高級のターキッシュ・ディライトがぎっしり詰まっていた。どれも甘くて、中まで軟らかく、エドマンドはこんなにおいしいものをそれまで食べたことがなかった。
── 『ライオンと魔女と洋服だんす』

　ターキッシュ・ディライトは多くの人を惹きつけてやまない魅惑のお菓子ですが、バラの花びらとピスタチオなど、伝統的な味の組み合わせに恐れをなして、自分で作ってみようという人はなかなかいないのではないでしょうか。でも、このレシピならシンプルなレモン風味なので、初めて作る人も挑戦しやすいはずです。ターキッシュ・ディライトのレシピの多くは非常に複雑で、何時間もぐつぐつ煮込まなければならなかったり、キャンディ用の温度計といった特別な道具が必要だったりしますが、この簡単なレシピでもターキッシュ・ディライトを作れます。秘訣はゼラチンをあとで加えるのではなく、砂糖といっしょに加熱すること。そうすれば、少ない材料、簡単な工程で、甘く、軟らかく、弾力のあるターキッシュ・ディライトが作れるのです。ターキッシュ・ディライトをきっかけに、ナルニア国のおいしい料理に興味を持っていただけたらうれしいです!

作り方
....

1. 25×13cmくらいの金属製の角型にたっぷりオイルをスプレーして、打ち粉をする。中くらいのソースパンに砂糖、冷水、ゼラチンを入れ、そっとかき混ぜる。中火にかけ、ときどきかき混ぜながら、砂糖を溶かす。沸騰しはじめたら、すぐに弱火にする(一度沸騰すると、吹きこぼれるおそれがあるので、ソースパンから目を離さない)。かき混ぜずに10分加熱する。かなり泡が立つ。

2. 火から下ろす。レモン汁、レモン・エキストラクト、食用色素を加え、素早くかき混ぜる。吹きこぼれるおそれがあるので、火傷に注意する。

3. 用意した型に素早く流し入れ、4〜6時間、冷蔵庫で冷やす。

4. 中くらいのボウルに粉糖とコーンスターチを入れ、泡だて器で混ぜ、まな板にたっぷり振りかける。角型の側面に、オイルをスプレーしたよく切れるナイフを差し込み、ひっくり返してまな板に中身を出す（底がくっついて離れない場合は、ナイフを差し込んでゆるめてからひっくり返す）。それを3cmの角切りにする。くっつくようなら、ナイフにオイルをスプレーする。角切りにしたものを、粉糖とコーンスターチの入ったボウルに入れ、そっとゆすって粉糖をまぶす。

5. すぐに食べられるが、ガラス製の耐熱容器に粉糖とコーンスターチを混ぜた粉を敷き詰め、その上にキャンディを置いてひと晩寝かせると、ちょうどいい硬さになる。

ナルニア国の森をさまよっているアダムとイブの子孫たちに！

レモン・ターキッシュ・ディライト

ビーバー夫人のポテト

15個分

ジャガイモ（ベビー・ユーコンゴールド）……
15個
コーシャーソルト……小さじ½（分けて使用）
バター……60g
レモン汁……大さじ½
ひきたての黒コショウ……小さじ¼
生のチャイブ（細かく刻んでおく）……小さじ
1～2

ジャガイモがゆであがって、やかんがピーピー鳴っていますよ。あなた、お魚をとってきてくださいな。
―― 『ライオンと魔女と洋服だんす』より、ビーバー夫人の台詞

　ジャガイモをマッシュしてから焼いた塩味のおいしいポテト。クリスマスの集まりにこれを出したら、ビーバー夫人がおなかをすかせたペベンシー家の子どもたちに食べさせたときよりも早くなくなってしまうでしょう。

作り方

1. オーブンを220℃に予熱。天板2枚に油を塗っておく。
2. 大きめの鍋にジャガイモを入れ、ジャガイモの2.5cm上まで水を入れる。コーシャーソルト小さじ¼を加えて火にかけ、強めの中火で10～15分煮る。フォークを刺してすっと通るくらい軟らかくなったらOK。湯を捨て、ゆであがったジャガイモを天板2枚に等間隔に並べる。
3. ポテト・マッシャー、または厚手のグラスの底でジャガイモをつぶす。バターを溶かし、レモン汁を加えてよく混ぜ合わせる。それを刷毛でジャガイモにたっぷり塗り、コショウと残りの塩を振りかける。
4. 15～20分、端に焼き色がつき、カリッとしてくるまで焼く。チャイブを散らす。

ナルニア国の未来の国王と女王に！

マーチ一家との
クリスマス

『若草物語』

ルイーザ・メイ・オルコット著

外では12月の雪が音もなく降り、家の中では暖炉の火が
パチパチと楽しげな音をたてて燃えている……壁の引っ込んだところは
どこも本がぎっしり詰まり、窓辺では菊とクリスマスローズが花を咲かせ、
温かい家庭の平和で穏やかな空気が流れていた。

MENU

- 全粒小麦のパン（43ページ）
- ターキー・ルーラード（45ページ）
- 焼きリンゴ（49ページ）
- ジョーのジンジャーブレッド（50ページ）

全粒小麦のパン

直径約20cmのパン1個分
·····················

糖蜜……³⁄₁₀カップ
ぬるま湯……1⅕カップ(360ml)
活性ドライイースト……1袋(7g)
全粒小麦粉……3³⁄₁₀カップ＋打ち粉用
少々
塩……小さじ2
卵……1個
バター……15g

>>>特別な道具
ドゥフック
[生地をこねるのに用いるかぎ針のような形のアタッチメント]

姉妹たちは励ましの言葉を残して家を出た。そのクリスマスの朝、自分たちの朝食を提供し、パンとミルクだけですませておなかをすかせているのに、この四人姉妹ほど楽しそうにしている者たちは街中を探してもいなかっただろう。

　素朴な小麦粉のパンは、『若草物語』のマーチ一家が過ごしたような家族で祝う心温まるクリスマスにぴったりです。祝祭気分を盛りあげるために、糖蜜で甘さを加えました。

作り方

1. 糖蜜にぬるま湯を加え、かき混ぜてよく溶かす。次にイーストを加え、1〜2分たったらそっとかき混ぜ、5分置く。

2. ドゥフックを取りつけたスタンドミキサーのボウルに小麦粉を入れ、小麦粉の片側に塩を入れる。反対側に卵と1を入れ、中低速で撹拌する。底に粉が残っているようなら、いったんミキサーのスピードを上げ、よく混ぜ合わせる。

3. 打ち粉をした台に生地を置く。生地や手にも軽く打ち粉をしながら、6分程度こねる。

4. 生地をブール[フランスの丸パン]に成形する。まず、生地がもとの半分くらいの高さになるように円形に伸ばす。生地をひっくり返す。こねているときに下になっていた面が上になる。円の上半分を折り、中央で閉じる。90度回転させ、同じ作業を繰り返す。つなぎ目から空気が入らないように

しっかり閉じること。さらに90度回転し、同じ作業を2回繰り返す。生地をひっくり返し、「つなぎ目」が裏になるようにする。両手を逆のお椀形にして生地をならし、5cmの高さのドーム状になるよう整える。生地を90度回転させ、再び逆のお椀形にした両手で生地をならし、全体が硬くなり、形が整うまで繰り返す。10分休ませる。ゆっくりガス抜きをし、再びブールの形に整える（生地全体を押してガス抜きをしてもいい。前の生地より高さが半分になり、直径18cmの円になるまで押す。そのあと、ひっくり返して、つなぎ目が前と同じ側に来るようにする）。

5. 大きめのボウルに油を塗る。ボウルに生地を入れ、ひっくり返して全体に油をまとわせ、つなぎ目が上に来るようにする。清潔な布巾をかぶせ、暖かい場所に1時間置く。オーブンを190℃に予熱。＊

   ＊パンを作る適温は、室温21℃以上。冬場のキッチンは寒いので、生地を予熱しているオーブンの近くに置く（上にはのせない）。

6. 軽く打ち粉をした台にボウルの生地を取り出し、ガス抜きをする。ひっくり返し（つなぎ目が上になる）、2つに折って形を整える。クッキングシートを敷いた天板にのせたら、清潔な布巾をかぶせ、45分休ませる。

7. 生地の表面によく切れるナイフで約1cmの深さの装飾的な刻み目を入れる。＊＊

   ＊＊デコレーションはシンプルに。そのほうが見栄えがいい。写真のパンはてっぺんの片側に横に1本丸く刻み目をつけ、それから放射状に5cm間隔に短い線を刻んでいる。

8. バターを溶かし、刷毛で生地の表面と側面に塗り、40分焼く。きつね色になり、底を叩いて空洞のような音がすればOK。ケーキクーラーに移して冷ます。

楽しいクリスマスの朝に！

ターキー・ルーラード

2本分

>>> グレーズ
クランベリージュース……³/₁₀カップ
(180ml)
ブラウンシュガー(計量スプーンにきっちり詰
めて量って量る)……大さじ2
レモン汁……小さじ1
タイム……小さじ¼
ローズマリー……小さじ¼
塩……小さじ¼
黒コショウ……1つまみ

>>> ルーラード
冷凍の骨なし七面鳥の胸肉(解凍しておく)
……2枚(450g)
洋ナシ(角切りにしておく)…山盛り1⅛カップ
高級な精白小麦粉のパン(角切りにしておく)
……1⅛カップ
ドライクランベリー……³/₁₀カップ
クルミ(刻んでローストしておく)……³/₁₀カップ
黄タマネギ(細かく刻んでおく)……³/₁₀カップ
ローズマリー……小さじ½
タイム……小さじ¼
塩……小さじ¼
コショウ……小さじ⅛
チキンブロス……³/₁₀カップ(60ml)
溶かしバター……大さじ2

>>> 特別な道具
肉叩き
タコ糸

その日のクリスマス・ディナーほど素晴らしいものはほかになかった。丸々と太った七面鳥には思わず目をみはった。ハンナが詰め物をし、こんがり焼いて、飾りをつけ……

　伝統的な七面鳥の丸焼きに代わって、おしゃれなターキー・ルーラードはいかがでしょうか?　好きなドライフルーツやナッツを詰め物にして、七面鳥の肉で詰め物を巻いたオリジナルのルーラードを作ってみましょう!

作り方

1. オーブンを190℃に予熱。天板にアルミホイルを敷き、上に網をのせる。

2. グレーズの準備をする。小さめのソースパンにグレーズの材料をすべて入れ、中火にかける。沸騰したら、弱めの中火に落とし、15分煮詰める。火から下ろしておく。

3. ルーラードの準備をする。七面鳥の肉から丁寧に皮をはがし(穴を開けたり、破いたりしないように注意)、取っておく。肉の厚みが均一でない場合は、厚い部分に横から切り込みを入れ、端から2.5cmのところで止め、開く。

4. 1枚目の胸肉の皮をはがした面を下にしてラップの上にのせ、その上からもラップをかぶせ、厚みが半分になるまで肉叩きで叩く。2枚目の胸肉も同様にする。

5. 詰め物を作る。大きめのボウルに、チキンブロスとバターを除くルーラードの材料をすべて入れ、よく混ぜ合わせる。次にチキンブロスとバターを注ぎ、具材によくからませる。

6. 1枚目の胸肉のラップをはがす。まな板に広げ(皮をはがした面が下)、詰め物を端に約1cmの余白を残して全体に広げる。短いほうの端からくるくる巻いていく。七面鳥の皮を半分に切り、破かないように注意しながらルーラードの上にできるだけきつく巻く。皮がルーラードの底まで届かなくても大丈夫。

7. 約36cmの長さに切ったタコ糸を4本用意する。1本のタコ糸の両端を持ち、ルーラードの真ん中の下に差し入れ、端から2.5cmのところできっちり結び、結び目を二重にする。残りの3本のタコ糸を2.5～5cmずつ離して同様に結ぶ。ルーラード全体に刷毛でグレーズを塗る。

8. 2枚目の七面鳥の胸肉も6と7を繰り返す。

9. ルーラードを網にのせ、オーブンに入れる。45～60分焼くあいだ、10～15分おきに残りのグレーズを刷毛で塗る。温度計をそれぞれのルーラードの中央に刺し、温度が70℃に達していればOK。皮が焦げはじめたら、途中でアルミホイルをかぶせて焼く。

10. アルミホイルをかぶせたまま10～15分休ませ、それから切り分ける。

クリスマスの朝にマーチ一家に！

焼きリンゴ

8個分

リンゴ(ガラ)……8個
オートミール……⅗カップ
ブラウンシュガー(計量カップにきっちり詰めて量っておく)……⅗カップ
クランベリー……⅗カップ
スライスアーモンド(粗く砕いておく)……⅗カップ
シナモン……小さじ2
オールスパイス……小さじ½
糖蜜(フルフレーバー[風味が強い]のもの)……1⅕カップ(必要に応じて増量)

>>>特別な道具
メロンボーラー[メロンなど、フルーツの果肉をくりぬく器具]

ここはジョーのお気に入りの避難所だった。半ダースものラセット[あずき色がかったリンゴの品種]と本を抱えてよくここに引きこもっては、ペットのねずみを相手に静けさを楽しんでいた。ねずみはこのあたりに棲んでいて、ジョーのことはまったく気にしていなかった。

フルーツをおいしいデザートに格上げ！　焼きリンゴは簡単に作れるので、この機会にお子さんにお手伝いをさせてみてはいかがでしょうか？　リンゴの空洞に糖蜜をたらすのを喜んで手伝ってくれるはずです。

作り方

1. オーブンを190°Cに予熱。23×33cmの深型の天板にアルミホイルを敷いておく。
2. リンゴの上を切り落とし、メロンボーラーで芯をくりぬく。底に穴を開けたり、ほかの部分を傷つけないように注意する。中くらいのボウルに糖蜜を除くすべての材料を入れ、ブラウンシュガーが粉々になるまでよくかき混ぜる。
3. 天板にリンゴを並べ、2の詰め物をスプーン2杯分、それぞれのリンゴに詰める。大さじ1の糖蜜を詰め物にかける。リンゴがいっぱいになるまで詰め物を足し、その上にさらに大さじ1の糖蜜をかける。
4. 45〜50分、リンゴが軟らかくなるまで焼く。詰め物が乾きはじめているように見えたら、糖蜜をかける。

あなたの大好きな物語のヒロインに！

ジョーのジンジャーブレッド

30枚分

小麦粉……4⅘カップ
重曹……小さじ1½
パウダー状のショウガ（ジンジャー）……
小さじ2¼
シナモン……小さじ1¼
オールスパイス……小さじ½
クローブ（粉末状）……小さじ¾
塩……小さじ½
無塩バター（軟らかくしておく）……120g
ショートニング……³⁄₁₀カップ
ブラウンシュガー……⅗カップ
グラニュー糖（計量カップにきっちり詰めて量っ
ておく）……³⁄₁₀カップ
卵……1個
糖蜜（黒蜜で代用可）……⁹⁄₁₀カップ

>>> 特別な道具
ジンジャーブレッド・ウーマンのクッキー
型（約8×9cm）
フードペン
さまざまな色のアイシングとカラースプ
レー

わたしが欲しかったものばかりでした。買ったものではなく、手作りなのがなおさらうれしいです。ベスの新しい「インク敷き」は本当に素晴らしい。そして、ハンナのジンジャーブレッドひと箱は宝物になるでしょう。 —— ジョーの手紙

マーチ姉妹をジンジャーブレッド・クッキーにしてみました。以下にレシピを紹介していますが、お好きなようにデコレーションを楽しんでください。『若草物語』に登場するほかの登場人物、ローリー、お母さん、ジョン・ブルック、ベア先生、メグの子どもたちに挑戦してみてもいいでしょう。

作り方

1. 中くらいのボウルに材料に書かれている上から7番目の塩までを入れ、混ぜ合わせる。

2. スタンドミキサーに無塩バター、ショートニング、ブラウンシュガー、グラニュー糖を入れ、中速でなめらかになるまで攪拌する。卵と糖蜜を加え、さらに攪拌する。

3. 1を数回に分けて入れ、攪拌する。必要ならば、ミキサーを止めて、ボウルの側面にくっついた生地をこそげ落とす。

4. 3の生地を1つにまとめてラップで包み、扱いやすくなるまで2時間半冷蔵庫で休ませる。そのあいだに、オーブンを180℃に予熱。

5. 生地の上下をクッキングシートではさみ、半量を5mmを超えない厚さに伸ばす（残りの半量はラップで包み、使うまで冷蔵庫に入れておく）。伸ばした生地はクッキングシートをはずさずに天板にのせ、冷蔵庫で10分冷やす。ジンジャーブレッド・ウーマン形の型で抜く。メグの髪を写真のようにおだんごにしたい場合は、余っている生地を伸ばし、型抜きした生地の頭のてっぺんにそっと貼りつける。

6. クッキーをクッキングシートを敷いた天板に約5cm間隔に並べ

る（クッキーを持ち上げるときに形が崩れそうなら、オフセット・スパチュラまたはフロ
スティングナイフを生地の下に差し込んで持ち上げる）。端が硬くなるまでオー
ブンで7分焼く。天板にのせたまま5分冷まし、そのあとケーキ
クーラーにのせて完全に冷ます。

7. 残り半量の生地を伸ばし、型を抜き、焼く。余った生地も同様
に焼く。

8. アイシングとカラースプレーを使って、マーチ家の四姉妹のデコ
レーションをする。

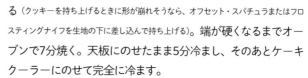

メグ　紫のアイシングでドレスの縁取りをして、中を塗りつぶす。
アイシングが乾かないうちに、ホワイトパールのカラースプレ
ーで飾る。フードペンで目鼻を描き、チョコレートのアイシング
でおだんごに結った髪を描く。

ジョー　白のアイシングでドレスの縁取りをして、中を塗りつぶ
す。ブルーのアイシングで格子模様を描く。フードペンで目鼻
を描く。チョコレートのアイシングでくるくる円を描いて巻き毛
を作る。三つ編みは肩に向きの異なるジグザグの線を2本描く。
その端にブルーのアイシングでリボンを飾る。

ベス　濃い青緑色のアイシングで縁取り、中を塗りつぶす。白
のアイシングとホワイトパールのカラースプレーを使って、ピ
ーターパン・カラーとボタンを描く。フードペンで目鼻を描く。
チョコレートのアイシングで髪を描く。肩の下から描きはじめ、
頭の輪郭をなぞり、反対側の肩で止める。濃い青緑色のアイシ
ングで点を置くようにヘアピンを描く。

エイミー　ピンクのアイシングで縁取り、中を塗りつぶす。乾
く前にマルチカラーのカラースプレーを振りかける。フードペ
ンで目鼻を描く。黄色のアイシングで髪の毛を描く。肩の下か
ら描きはじめ、頭の輪郭をなぞり、反対側の肩までジグザグの
線を描いてウエーブ感を出す。ブルーのアイシングでリボンを
飾る。

ひとり立ちしたばかりの若き作家に！

金平糖の精のごちそう

『くるみ割り人形とねずみの王様』

E・T・A・ホフマン著

そのとき、銀色に輝く鐘がチリンチリンと鳴り、
ドアがぱっと開いて、広い客間から光が射し込んできた……。
パパとママが戸口に現れ、子どもたちの手を取って、こう言う。
「さあ、お入り、幼子イエスがあなたたちに何を持ってきたか見てごらんなさい」

MENU

- ガーリック・ローズマリー・ロースト・
  アーモンド（55ページ）
- ペストソースとベーコンの
  クリスマスツリー・パイ（57ページ）
- ねずみの王様のチーズ（61ページ）
- ボンボン（63ページ）

クリスマス
54

ガーリック・ローズマリー・ ロースト・アーモンド

1⅛カップ分
....

アーモンド……1⅛カップ
オリーブオイル……大さじ1
ハチミツ……大さじ1
ニンニク（みじん切りにしておく）……1片
生のローズマリー（みじん切りにしておく）
……小さじ1
コーシャーソルト……小さじ1
コショウ……小さじ⅛

マリーは父親に言われたとおり、クルミを1つ口の中に押し込んだ。すると──パチンと音がして──小さな男がクルミを噛んで2つに割り、マリーの手においしい実が落ちてきた。

　簡単に作れるロースト・アーモンドは、前菜にしても手土産にしても喜ばれる一品です。

作り方
....

1. オーブンを160℃に予熱。天板にクッキングシートを敷いておく。
2. 大きめのボウルにすべての材料を入れ、アーモンドを調味料でコーティングするようによく混ぜ合わせる。ボウルの中身を天板にあけ、薄く均一に広げる。
3. 途中でかき混ぜながら15分焼く。天板にのせたまま10分冷ます。

素晴らしいごちそうの前菜として、温かいうちに召しあがれ！

ペストソースとベーコンの
クリスマスツリー・パイ

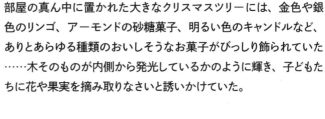

約25cmのツリー1本分

センターカット[脂や筋を取り除き、中心部分だけを使ったもの]ベーコンスライス……8枚
冷凍パイシート(解凍しておく)……2枚
バジル・ペストソース……³/₁₀カップ(253ページのレシピで作ったものの½量を使う)
シュレッダー・モッツァレラチーズ……
³/₅カップ
卵液(卵1個を大さじ1の水を加えて溶く)

部屋の真ん中に置かれた大きなクリスマスツリーには、金色や銀色のリンゴ、アーモンドの砂糖菓子、明るい色のキャンドルなど、ありとあらゆる種類のおいしそうなお菓子がびっしり飾られていた……木そのものが内側から発光しているかのように輝き、子どもたちに花や果実を摘み取りなさいと誘いかけていた。

　このインパクト抜群のペストリーは意外にも簡単に作れます。作りはじめて焼きあがるまでにたった20分しかかかりません。クリスマスにおなかをすかせた人たちに出すのにもってこいです!

作り方

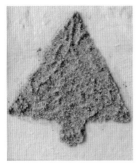

1. オーブンを190℃に予熱。ベーコンをみじん切りにし、軽く炒める(カリカリになるまで炒める必要はない)。ペーパータオルを敷いた皿に移し、余分な油を切る。

2. 解凍したパイシートを25cm四方に伸ばす。1枚を油を塗った天板にのせる。大きな三角形状にペストソースを塗る。そのとき、下を最低5cm、残りの3辺を最低2.5cmは空ける。次に三角形の下に木の幹になるように小さな長方形状にソースを塗る。下を少なくとも2.5cmは空ける。

3. ベーコンビッツとチーズをペストソースの上に散らす。ソースが塗られていない部分に刷毛で卵液を塗る。上にもう1枚のパイシートをのせ、そっと押すようにしてくっつける。2.5cm余白を残して下の木の形に合わせて生地を切り取る。大きな木が完成する。

4. よく切れるナイフで三角形の片側の下から上に向かって2.5cm間隔で切り込みを入れていく。外側から内側に向かって切り込みを入れ、木の中心から2.5cm手前に来たら、止める。もう片側も同様にする(枝と5cmの幹が完成する)。

5. 木に卵液を塗る。「枝」を1本、1本ひねる。

6. 天板に移し、オーブンで20分、表面がこんがりきつね色になるまで
焼く。天板にのせたまま5〜10分休ませる。

魔法にかけられたようなクリスマスの夜に！

MEMO パイシートの余り生地を有効活用。2.5cm幅にカットし、溶かしバターを
塗って、シナモンパウダーと砂糖をまぶす。生地を何回かひねり、油を塗った天
板にのせて190℃に予熱したオーブンで焼き、ふっくらして焼き色がついたら完成。

ねずみの王様のチーズ

8個分

ホワイトチェダー・チーズ(塗るタイプで三角
形のもの)……8個
小麦のクラッカー(四角)……8枚
アーモンドスライス……16片
黒コショウの粒……16個
ミニトマト……1個
キュウリ……1本
生のローズマリーの小枝……大(葉が32
枚必要)1本
スライスチェダーチーズ……1枚

ねずみの王様がくるみ割り人形に向かって突進してきた。マリーは頭の中が真っ白になった……。自分で自分のしていることがよくわからないまま、左足の靴をつかみ、ねずみの王様めがけ、敵の群れの中に力いっぱい投げつけた。すると、マリーの視界からすべてが消え去った。

　火を使わなくてもおいしい料理は作れます。このチーズの前菜はあっという間に作れ、あっという間にお皿から消えるでしょう!

作り方

1. クラッカーの上にチーズを置く。

2. ねずみの耳をつける。チーズの三角形の底辺にアーモンドスライスを2枚のせる。三角形の中央に黒コショウの粒を2粒置いて目をつける。

3. 鼻をつける。ミニトマトから小さな三角形を8つ切り取り、楔形（くさび）のチーズの頂点に置く。尻尾をつける。キュウリを10cmの長さに細長く切ったものを8本用意する。必要ならば爪楊枝で穴を開け、チーズの後ろに差し込む。

4. ひげをつける。ローズマリーの葉2枚をミニトマトで作った鼻の下、三角形の頂点の両側に刺す。

5. 王冠をつける。チェダーチーズのスライスを5mm×1cmの長方形に切ったものを8枚用意する。長方形の上の部分を2箇所三角に切り取って王冠を作り、アーモンドスライスの両耳の前に置く。

『くるみ割り人形』の最新バレエを見ながらどうぞ!

ボンボン

16個分

ピスタチオ……³⁄₈カップ
種抜きデーツ……³⁄₈カップ
プルーン……³⁄₁₀カップ
ドライチェリー……³⁄₁₀カップ
ドライイチジク（茎を取り除いたもの）……³⁄₁₀カップ
オレンジの皮……小さじ1
シナモン……小さじ½
コーシャーソルト……1つまみ
スパイスド・ラム……小さじ2
中白糖［上白糖より精製度が低く、淡い黄色の砂糖］……³⁄₁₀カップ

>>> 特別な道具
フードプロセッサー

貴婦人たちはマリーが見たこともないような美しい果物や砂糖菓子を運んできて、雪のように白い手で果汁を搾り、スパイスを砕き、甘いアーモンドをおろした。

　地味な見た目にだまされないでください。ビザンチンスタイルのボンボンはほんのり甘く、中には濃厚なスパイスが詰まっています。このレシピは伝統的なヴィクトリア朝時代のレシピよりも簡単ですばやく作れ、2つのステップを踏むだけですぐ食べられます！　伝統的なビザンチンの果物とナッツを使っていますが、ほんのちょっぴりラム酒を加え、大人の味にしました。

作り方

1. ラム酒と砂糖を除くすべての材料をフードプロセッサーにかける。低速で1〜2分、すべての材料が細かくなるまで攪拌する。ラム酒を加えてさらに15秒攪拌し、よく混ぜ合わせる。

2. 1を直径3cm大の球状に整える。転がして砂糖をよくまぶす。密閉容器に入れ、出すまで室温に置く。

金平糖の精が有名な踊りを踊り終えたあとに出してあげよう！

大自然の食事

『白い牙』

ジャック・ロンドン著

満腹になる、日なたでうとうとする ──
こういったことは、熱情と労苦への充分な報酬だった……。
生きている証であり、生きている実感があるときは、いつも幸せだ。

北極の道コーヒー・マフィン

12個分

無塩バター……120g

顆粒状のインスタントコーヒー……小さ
じ2

牛乳……1⅛カップ(240ml)

小麦粉……2⅖カップ

グラニュー糖……⅜カップ

ブラウンシュガー(計量カップにきっちり詰め
て量っておく)……³⁄₁₀カップ

ベーキングパウダー……小さじ2

シナモン、ショウガ、ナツメグ(パウダー状の
もの)……各小さじ¼

塩……小さじ½

メープルシロップ……大さじ2

卵(溶いておく)……1個

バニラ・エキストラクト……小さじ1

ヘンリーは答えず、黙々と食べ、食事が終わると、最後に残ったコーヒーを飲みほした。手の甲で口を拭い……暗闇のどこかからひどく悲しげな遠吠えが聞こえてきて、彼の言葉をさえぎった。

　メープルバターをほんの少し加えるだけで、朝食にぴったりなマフィンができあがります。軟らかくしたバターにメープルシロップを大さじ数杯加え、なめらかになるまで撹拌すれば、自家製のメープルバターが作れます。

作り方

1. オーブンを190℃に予熱。バターを電子レンジで加熱して溶かし、冷ましておく。牛乳に顆粒状のインスタントコーヒーを入れ、溶かす。マフィン型に敷き紙を敷く。

2. 大きめのボウルに、小麦粉、砂糖類、ベーキングパウダー、スパイス類、塩を入れて泡だて器でざっと混ぜる。メープルシロップ、溶き卵、バニラ・エキストラクト、溶かしバター、牛乳にインスタントコーヒーを混ぜたもの(加える前によくかき混ぜ、コーヒーを完全に溶かす)を加え、混ぜる。

3. マフィン型の¾まで生地を入れ、20分焼く。中央に爪楊枝を刺して何もついてこなければOK。マフィン型から出し、ケーキクーラーにのせて20分冷ます。

凍えるように寒いアラスカの朝に温かいうちに!

炙ったサーモンのレモンディルバター添え

サーモンの切り身4枚分

皮つきのサーモンの切り身……4枚（約200〜250g）
植物油……大さじ2
塩……小さじ1（分けて使用）
ひきたての黒コショウ
レモンディルバター（レシピは247ページ参照）
……60g

満足げな音が彼の耳に入った……。魚のにおいがする。食べるものがある。飢餓は去った。思いきって森から出ていくと、まっすぐキャンプに駆けていき、グレイ・ビーヴァーのテントに向かった……。クルー＝クーチがうれしそうに歓声をあげ、捕ったばかりの魚で歓迎してくれた。

シンプルなサーモンの切り身も香り豊かなレモンディルバターを添えれば、生まれ変わります。

作り方

1. サーモンの下処理をする。必要ならば骨を抜き、ペーパータオルで水分を拭き取る。

2. 鋳鉄製のスキレットに油を引いて強火の中火にかけ、水を数滴たらしてジューッという音がしたら、弱めの中火に落とす。

3. 切り身1切れを皮目を下にしてスキレットに入れ、フライ返しで1分押さえる。塩小さじ1/8を振り、コショウを4ひねりする。切り身の厚みにもよるが、さらに6分加熱する。フライ返しでくっつかずに返せたらOK。くっつくようなら、もう1分焼く。

4. 切り身をひっくり返し、3と同じように塩、コショウをする。全体がうっすらピンク色になり、中に火が通るまで3分焼く。焼きあがったら、盛り皿に移す。

5. 2〜4を繰り返し、残りの3枚も同様に焼く。それぞれの切り身にレモンディルバターを大さじ1のせる。

荒野を長時間歩いたあとに！

ベーコン入りホワイトウイスキー・ベイクドビーンズ

13 ⅓カップ分

インゲン豆……約450g
白インゲン豆……約450g
ベーコン……約450g
溶かしたベーコンの脂(ベーコンを焼いたときに取っておく)……大さじ2
スイートオニオン……1個
ニンニク(みじん切りにしておく)……3片
塩……小さじ¾
コショウ……小さじ¼
鶏がらスープ……12カップ
ウイスキー……大さじ2
メープルシロップ……大さじ3
生のパセリ(刻んでおく)……大さじ1

ヘンリーは屈んで、豆がぐつぐつ煮えている鍋に氷を入れたそのとき、はっとした……。体を起こすと、ぼんやりとした影が雪原を横切って暗がりに消えていくのが見えた。

　ニンニク、タマネギ、メープルシロップを加えたこのレシピは、伝統的なこってりしたトマト味のベイクドビーンズよりもあっさりとした味に仕上がります。

作り方

1. それぞれの豆を水で洗い、別々にたっぷりの水に8時間浸す。

2. 水を切り、豆を大きめの鍋に移す。ベーコンをみじん切りにして炒める。ペーパータオルを敷いた皿にのせ、油を切る。ラップをして使うまで冷蔵庫で冷やしておく。ソースパンに残ったベーコンの脂を大さじ2取っておく。

3. タマネギをさいの目に切り、ベーコンの脂、ニンニクのみじん切り、塩、コショウ、鶏がらスープといっしょに鍋に入れ、よくかき混ぜる。

4. 強火にかけ、沸騰したら、弱めの中火に落とし、10分おきにかき混ぜながら4時間ことこと煮る。豆が軟らかくなり、水分がほとんど蒸発すればOK。火から下ろし、ウイスキー、メープルシロップ、パセリ、ベーコンビッツを加え、かき混ぜる。

MEMO　このレシピでは、豆は調理する前に8時間水に浸し、4時間煮る。

アラスカの荒野で新たな道を開拓している仲間の探検家に食べさせてあげよう!

スモア・ベイクド・アラスカ

約13×23cmのパン型1個分

グラハムクラッカー……12枚
チョコレートアイスクリーム(塗れる程度に
軟らかくしておく)……4⅘カップ
マシュマロクリーム……2⅖カップ
卵白(室温に戻しておく)……8個分
バニラ・エキストラクト……小さじ2
クリームターター……小さじ1½
塩……小さじ¼
粉糖……2⁷⁄₁₀カップ
ミニマシュマロ……³⁄₁₀カップ
グラハムクラッカー(砕く)……³⁄₁₀カップ
ミルクチョコレート(大きめの塊)…³⁄₁₀カップ

>>> 特別な道具
調理用バーナー(お好みで)
ウィスク[泡だて器のような形のアタッチメント]

彼は野生の遺伝と記憶をすぐに捨てることはできなかった。森の端に忍んでいき、じっと立って、どこか遠く離れたところから自分を呼んでいる何かに耳を澄ましていた日々もあった。

一見伝統的なベイクド・アラスカに見えますが、ケーキをグラハムクラッカーに替えて、手間を省きました。

作り方

1. 約13×23cmのパン型に横に余裕を持たせてラップを敷く。

2. パン型の底にグラハムクラッカー4枚を敷く。必要ならば、サイズに合わせて切る。チョコレートアイスクリーム2すくい分をクラッカーの上に均一に塗り広げる。その上にマシュマロクリームを同じように均一に塗る。その上にグラハムクラッカーを重ねる。

3. アイスクリームを塗るところから2を繰り返す。

4. ラップの両端をつかんで最後にのせたグラハムクラッカーの上にかぶせ、冷凍庫に少なくとも3時間入れる。

5. スタンドミキサーのボウルに卵白、バニラ・エキストラクト、クリームターター、塩を入れ、泡だて器のような形のアタッチメント(ウィスク)を取りつけ、中速で3分軽く角が立つまで攪拌する。

6. ミキサーを動かしたまま粉糖を何回かに分けて加える。スピードを最速にして5分、角がピンと立つまで攪拌しつづける。メレンゲが白く輝き、2本の指でこすったときになめらかな感触ならばOK。メレンゲ1⅕カップを小さめのボウルに移しておく。残りのメレンゲを大きめの星形の口金をつけた大きめの絞り出し袋に入れる。

7. 4を冷凍庫から出し、ラップを開いて、耐熱性のトレイの上にひっくり返す。パン型とラップをはずす。

8. 小さめのボウルに入れておいたメレンゲ1⅕カップを素早くアイ

スクリームの土台の上に薄く塗り広げる。土台の側面に絞り出し袋からメレンゲを絞り出し、のたうつような線を描く。土台の生地を線でおおう。土台の上面とメレンゲで描いた側面の線との境目を見えなくするようにメレンゲをぐるりと1周絞り出す。

9. 調理用のバーナーでメレンゲにうっすらと焦げ目をつける。あるいはオーブンのブロイラーで290℃以下で2分焼く。ブロイラーを使った場合、色は均一に薄くつく。バーナーは濃く色がつき、メレンゲの線が強調される。ブロイラーを使う場合、必ずベイクド・アラスカをオーブン用の耐熱トレイにのせ、出す前に冷蔵庫で20分冷やすこと。

10. ベイクド・アラスカの上にミニマシュマロ、グラハムクラッカーを砕いたもの、ミルクチョコレートのかけらを散らす。

遠くからかすかに聞こえてくる野生の叫びに耳を澄ましながらどうぞ!

MEMO メレンゲは非常に繊細なので、ほんの少しの水分、または油分でだめになってしまうことがある。成功の秘訣は道具類の水分をきれいに拭き取って完全に乾かすことと、黄身が混じってしまわないように卵白だけをうまく分け、室温が21℃以下で、湿気の少ないキッチンで調理する。

クリスマスはプレゼントにばかり関心が集中しがちですが、感謝祭の基本はホスピタリティにあります。家族や友人、見ず知らずの人にも援助の手を差し伸べ、家でもてなすという精神は、古典文学で重要な役割を果たしています。ローラ・インガルス・ワイルダーの〈小さな家〉シリーズでは、感謝祭のような祝祭日は、開拓者や入植者があとに残してきた家族や近所の人に代わる新しいコミュニティの結束を強める大切な機会になっています。神話をもとにしたファンタジー作品でも、感謝祭を描いたシーンはないものの、登場人物たちは家や食料貯蔵室を開放して人をもてなしています。『ホビット　ゆきてかえりし物語』のビヨンや〈レッドウォール伝説〉シリーズのレッドウォール修道院のネズミたちがそうです。

　みなさんも、ビヨンのハニーナッツ・バナナブレッド、あるいは、レッドウォール修道院の果てしなく深いパイを焼いて、自宅を開放しましょう！　人をもてなすのに季節は関係ありません。

待ちに待った感謝祭

『ホビット　ゆきてかえりし物語』

Ｊ・Ｒ・Ｒ・トールキン著

大勢の人がいた。エルフらしき者も……。
真ん中で焚火がたかれ、まわりの木に松明がくくりつけられていた。
でも、何よりも目を奪われたのは、みんなで食べて飲んで、
陽気に笑っていたことだった。

ビヨンのハニーナッツ・バナナブレッド

1斤分

小麦粉……1½カップ
重曹……小さじ½
塩……小さじ⅛
シナモン……小さじ¼
ショウガ（パウダー状のもの）……小さじ¼
茶色くなったバナナ……2本
グラニュー糖……³⁄₁₀カップ
ブラウンシュガー……³⁄₁₀カップ
ハチミツ……大さじ3
バニラ・エキストラクト……小さじ½
卵（軽く溶いておく）……1個
溶かしバター（冷ましておく）……60g
クルミ（チップス状）……³⁄₁₀カップ

〔ビヨンは〕オークの森の大きな木の家に住んでいる。人間として家畜や馬を飼い、これがまた彼と同じくらいすごい能力を持っている。彼のために働き、話もするんだ……。獰猛なハチを飼っていて、巣箱がごまんとある。もっぱらクリームとハチミツを食べて暮らしている。

──ガンダルフの台詞

ビヨンは気難し屋かもしれませんが、料理の腕は確かです！　トリンの一行が闇の森のはずれにある彼の家に滞在したときに出したパンとハチミツを想像してレシピを作ってみました。

作り方

1. オーブンを180℃に予熱。パン型にオイルをスプレーしておく。

2. 大きめのボウルに小麦粉、重曹、塩、シナモン、パウダー状のショウガを入れ、泡だて器で混ぜる。粉の中央をくぼませる。

3. 中くらいのボウルにバナナを入れ、フォークでつぶす。砂糖類、ハチミツ、バニラ・エキストラクト、溶き卵、溶かしバターを加えて、かき混ぜる。

4. 粉の中央のくぼませたところに3を入れて混ぜる。クルミを加える。

5. 4をパン型に入れ、オーブンで45分焼く。爪楊枝を刺して何もついてこなければOK。

6. パン型に入れたまま10分置いて冷ます。パン型の側面と焼きあがったパンのあいだにバターナイフを差し込んでゆるめ、パンを取り出す。ひっくり返してケーキクーラーにのせ、完全に冷めるまで約1時間休ませる。

7. パンをラップで包み、常温で1日寝かせる。

ゴブリンから助けてくれたお礼に、気難し屋のビヨンにプレゼントしよう！

メルトン・モーブレーのミニポークパイ

8個分

>>> 詰め物

豚ロース（1〜2cmの角切りにしておく）……
約680g
タマネギ（みじん切りにしておく）……1個
ニンニク（みじん切りにしておく）……3片
生のローズマリーの葉（細かく刻んでおく）
……小さじ2
塩……小さじ1
コショウ……小さじ¼

>>> 湯練りのパイ生地

小麦粉……4⅓カップ
無塩バター（角切りにし、冷やしておく）……
120g
水……1⅓カップ（240ml）+大さじ2
塩……小さじ2
植物性ショートニング……¾₀カップ+
大さじ2
卵……2個
ジェル状の食用色素（グリーン）……3滴

>>> 特別な道具

葉っぱ形のクッキー型またはクッキース
タンプ（約5cm）

「あとから来た者にも、何か食べるものと飲むものが残っているん
だろうな！ なんだこれは？ お茶！ お茶はけっこう！ わたしは赤
ワインを少しもらおう」「わたしも」と、トリンは言った。「ラズベリ
ージャムとアップルタルト」とビファーが言った。「ミンスパイとチー
ズ」とボファーが言った。「それと、ポークパイとサラダ」とボン
バーが言った。

　パイの縁をきれいに閉じられなくても大丈夫！ 素朴さも魅力の1つ
です。

作り方

1. オーブンを200℃に予熱。12個取りのマフィン型2枚にオイルを
　 スプレーしておく。

2. 中くらいのボウルに詰め物の材料をすべて入れ、ニンニクのみ
　 じん切りが全体に行き渡るようによくかき混ぜる。ラップをして
　 使う直前まで冷蔵庫で冷やす。

3. 湯練りのパイ生地を作る。大きめのボウルに小麦粉をふるい入
　 れる。角切りにしたバターを加え、指の腹ですりつぶすように
　 して粉に混ぜ、パンくずのような感触になればOK。

4. 小さめのソースパンに水と塩を入れ、強めの中火にかけてかき
　 混ぜ、沸騰させて塩を溶かす。植物性ショートニングを加え、
　 かき混ぜて溶かし、火から下ろす。熱した脂肪を取り扱う際には、
　 火傷に注意すること。

5. 4を3の粉類にいっきに注ぎ入れ、手早くかき混ぜる。この段階
　 では生地はまだゆるい。打ち粉をした台にひっくり返してのせ、
　 表面がなめらかになるまでこねる。生地を2等分し、1つをラッ
　 プで包む。

6. 残りの生地を約36×48cm、厚さ3mmの長方形に伸ばす。生
　 地から直径13cmの円を8枚抜き、マフィン型に敷く。パイの蓋

のスペースを確保するために、1つおきに入れる（12個取りの型の場合は1枚に6個分、もう1枚に2個分の生地を敷く）。型の穴から飛び出した生地は指で軽く押さえる。

7. ボウルに卵を割り入れて泡だて器でかき混ぜ、卵液を作る。マフィン型の穴に敷いた生地の内側と端に刷毛で塗る（生地を封印し、漏れを防ぐため）。それぞれ均一になるように詰め物を入れる（穴の⅓まで）。隙間ができないように奥まできっちり詰める。

8. 残りの生地のラップをはずす。台に再び打ち粉をして円を8枚抜く。大きめの口金の裏で円の中央に穴を開ける。それをパイの上にのせ、縁をつまんで閉じる。表面に卵液を塗る。

9. 余り生地を使い、直径5cmの葉っぱ形のクッキー型かクッキースタンプで8枚抜く。必要なら生地をもう一度伸ばしてから使う。

10. 卵液にジェル状の食用色素を入れてかき混ぜ、指先で葉に液をたらす。葉をそっとパイの蓋にのせる。蓋に開いた穴をふさがないように真ん中から少しずらしてのせるようにする。

11. マフィン型に2個パイ生地が入っているものをオーブンの上段にのせ、6個入っているものを下段に入れる。途中で天板の位置を変えながら40分焼く。型に入れたまま10分休ませ、バターナイフを差し入れてそっとはずす。ナイフでパイを傷つけると、中身が漏れ出すおそれがあるので注意する。

サプライズ・パーティーで小人たちに出してあげよう!

ホビットの家のドアみたいな ジャイアント・チョコレートチップクッキー

直径約28cmの
クッキー1枚分

>>> クッキー

小麦粉……1⅘カップ
モルト(麦芽)パウダー……3/10カップ
重曹……小さじ¾
塩……小さじ1
バター(軟らかくしておく)……180g
砂糖……大さじ6
ブラウンシュガー(計量カップにきっちり詰めて量っておく)……3/10カップ
バニラ・エキストラクト……小さじ1
卵(常温に戻しておく)……2個
セミスイート・チョコレートチップ……1⅘カップ

>>> フロスティング

バター(軟らかくしておく)……240g+30g
粉糖(ふるっておく)……5⅖カップ(分けて使用)
バニラ・エキストラクト……小さじ2¼
牛乳……大さじ3(分けて使用)
ジェル状の食用色素(グリーン、パステルグリーン、黄色)

>>> 特別な道具

ピザストーン

船の明かり取りの小窓のようなまん丸のドアだった。緑色に塗られ、真ん中に黄色に輝く真鍮の取っ手がついていた。

チョコレートチップクッキーの好みは人それぞれですが、このクッキーは、端はサクサク、中はケーキのようにふんわり、中心部はとろーり甘い、とあらゆる人の欲求に応えます。

作り方

1. 中くらいのボウルに小麦粉、モルトパウダー、重曹、塩をふるい入れておく。
2. 大きめのボウルにバター、砂糖類、バニラ・エキストラクトを入れ、ハンドミキサーの中低速でふんわりするまで攪拌する。卵を1個ずつ入れ、攪拌する。
3. 2に1の粉類を数回に分けて加え、攪拌する。チョコレートチップを加え、混ぜ合わせる。
4. 大きく切ったラップに小麦粉をすりつける。生地を直径約18cmの円盤状に成形し、粉をつけたラップで包み、冷蔵庫で1時間冷やす。
5. オーブンを190℃に予熱。生地のラップをはずし、軽く打ち粉をしたピザストーンにのせる。円盤状の生地に軽く打ち粉をして、ピザストーンの端から5cm手前まで伸ばす。こんがりきつね色になるまで20〜25分焼く。中心部を指で軽く押したときに硬くなっていればOK。オーブンから取り出し、ピザストーンにのせたまま10分休ませる。
6. ナイフ、または大きめのフロスティングナイフをクッキーとストーンのあいだに差し入れ、そっと回転させる。完全に冷ます。
7. フロスティングを作る。スタンドミキサーのボウルにバターを入れ、中速でなめらかになるまで攪拌する。粉糖を1⅕カップずつ数回に分けて加え、よく混ぜ合わせる。バニラ・エキストラク

トと牛乳大さじ1を加え、よく混ぜ合わせる。残りの粉糖と牛乳
を交互に加え、よく混ぜ合わせる。

8. フロスティングを3つのボウルに分ける。1つ目に⁹⁄₁₀カップ、2つ
目に1½カップ、3つ目に残ったフロスティングを入れる。1つ目
のボウルにパステルグリーンの食用色素を9滴たらす。2つ目の
ボウルにグリーンの食用色素を7滴、3つ目のボウルに黄色の食
用色素を3〜4滴たらす。

9. よく切れるナイフでクッキーの中央から直径約20cmの円を描く
ように軽く切り込みを入れる。周囲に5cm幅の余白が残る。円
にパステルグリーンのフロスティングを薄く均一に塗る。まわり
にフロスティングを塗られていない部分が幅5cm残る。大きめ
の丸口金をつけた絞り出し袋にグリーンのフロスティングを入れ、
何も塗られていない部分に同心円を2つ描く。フロスティングナ
イフで絞り出したフロスティングをならす。小さめの丸口金をつ
けた絞り出し袋に残りのグリーンのフロスティングを入れ、パス
テルグリーンに塗った円に縦の線を4本等間隔に引く。小さな文
字が描ける丸口金をつけた絞り出し袋に黄色のフロスティング
を入れ、外側の円に対して中心から平行に分けるよう2点に絞り
出す。この点がこれから書き入れる文字を分ける点になる。上
半分に「道は果てしなく続く (The road goes ever on and on)、下半分
に「はじまりはこのドアから (Down from the door where it began)」と
書く。あらかじめ、文字が入りきるか、爪楊枝で軽く下書きし
てみてもいい。残りの黄色のフロスティングで、クッキーの中
央に直径4cmの円を描き、ドアの右下の端にガンダルフのルー
ン文字を描く（両腕を前に突き出したような形のF）。

通りすがりの魔法使いに……おはようございますと必ず声をかけ
てあげて！

ふくろの小路果樹園のサラダ

サラダ4皿分

>>> サラダ

松の実……³⁄₁₀カップ

ケール(ひとロサイズにちぎり、計量カップにふん
わり入れて量っておく)……3³⁄₈カップ

洋ナシ……½個

リンゴ(ハニークリスプ)……½個

ザクロ(種抜き*)……½個

クランブル状のヤギのチーズ……³⁄₁₀カッ
プ+大さじ2

>>> ドレッシング

ザクロジュース……大さじ2

レモン汁……小さじ2

ハチミツ……小さじ1

ホワイト・バルサミコ酢……小さじ½

塩……小さじ⅛

コショウ……小さじ⅛

*ザクロの種は皮からはずすときに破裂しやす
いので、はねた果汁で染みを作らないように注意。
あらかじめ種が抜いてあるザクロは、シーズン
になるとスーパーマーケットの青果売り場で購
入できる。

ポークパイ(83ページ)と同じように、このサラダはビルボが突然訪
ねてきたドワーフたちにふるまったごちそうからインスピレーションを
得ました。不意のお客さまでも歓待するのがホビット族の流儀です。
このサラダは秋の味覚がすべてそろっている、栄養バランスの取れ
たサラダです。甘酸っぱいリンゴ、みずみずしい洋ナシ、バターの
ようなコクのある松の実、栄養価の高いケール、クリーミーなヤギ
のチーズ、ジューシーなザクロ。すぐに作れるのも魅力です!

作り方

1. オーブンを160℃に予熱。松の実を天板に均一に広げ、うっす
   らと焼き色がつくまで5分焼く。

2. 洋ナシを約5mmの角切りにする。リンゴを薄くスライスし、そ
   れをさらに横半分に切る。

3. 大きめのボウルにサラダのすべての材料を入れ、よくあえる。

4. 小さめの密閉容器にドレッシングの材料をすべて入れる。蓋を
   閉め、1〜2分強く揺すり、材料をよく混ぜ合わせる。

5. サラダにドレッシングをかけ、よくあえる。

おなかをすかせたホビット族とドワーフの集まりに!

農場の祝祭日

〈小さな家〉シリーズ

ローラ・インガルス・ワイルダー著

コーヒーが沸いた、パンも焼けた、肉も焼けた。
どれもこれもおいしそうなにおいで、
ローラはますますおなかがすいた。
——『大草原の小さな家』

MENU

- スキレット・コーンブレッド、
  自家製バター添え（93ページ）
- 簡単ロースト・スイートポテト（95ページ）
- シカ肉のポットロースト（97ページ）
- メープルキャンディ（99ページ）

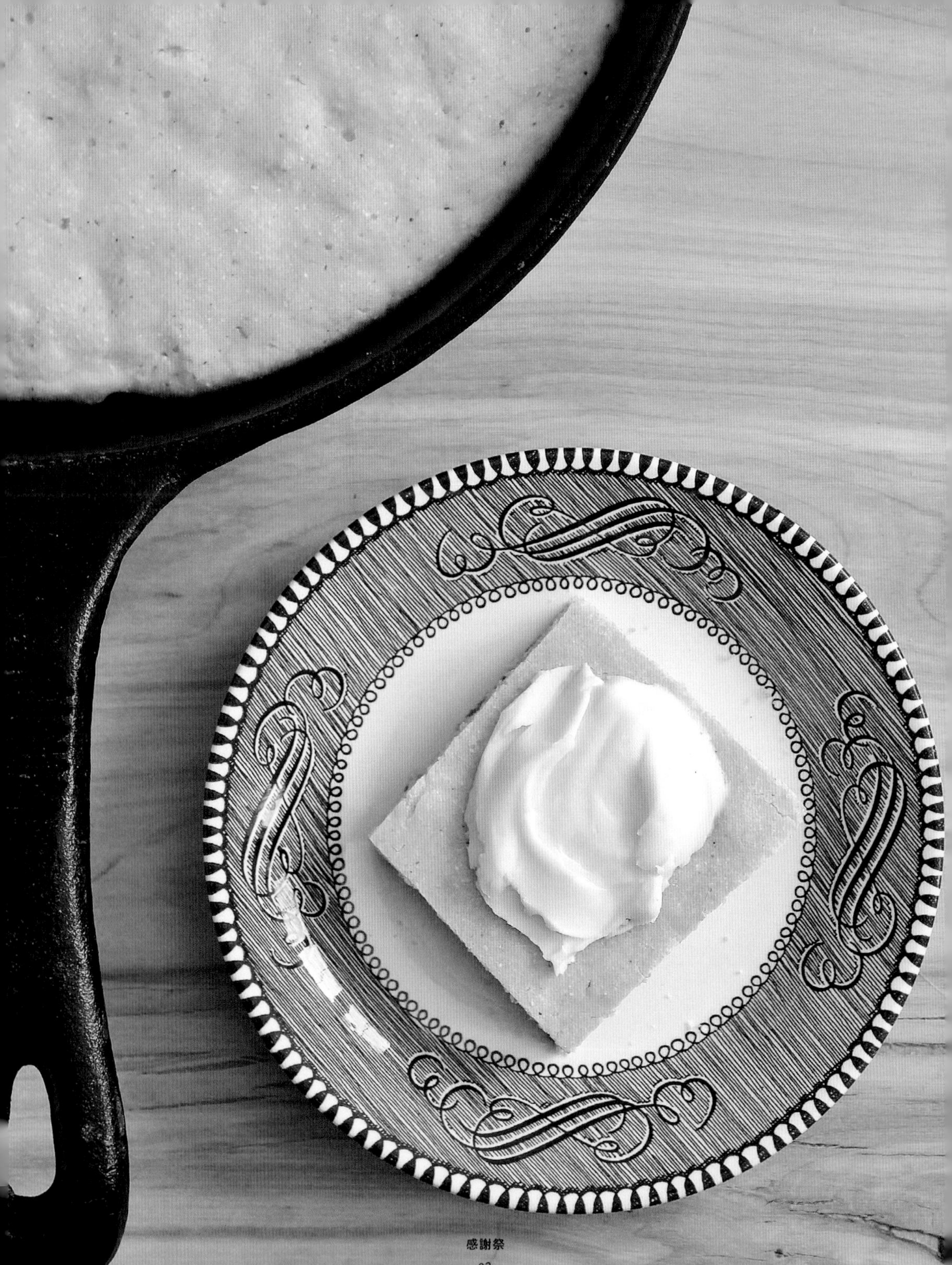

スキレット・コーンブレッド、
自家製バター添え

コーンブレッド約28cm1個分
バター約170g分
....

>>> バターとバターミルク
ホイップクリーム(乳脂肪分が48%以上のもの)
……2²⁄₅カップ
塩……小さじ⅛
ハチミツ……大さじ1(お好みで)

>>> コーンブレッド
バター(このページのレシピで作ったもの)……
30g(分けて使用)
小麦粉……1⅓カップ
コーンミール……1⅓カップ
ベーキングパウダー……小さじ1½
重曹……小さじ¼
塩……小さじ1¼
砂糖……大さじ1½
卵(常温に戻しておく)……2個
バターミルク(このページのレシピで作ったもの
を、常温に戻しておく)……1⅓カップ

>>> 特別な道具
ウィスク[泡だて器のような形のアタッチメント]

そのあと、母さんは冷たいコーンケーキ[当時、コーンブレッドはコーンケーキ、ジョニィケーキと呼ばれていた]を切り分け、糖蜜を塗った。1つをメアリーに、もう1つをローラに与えた。それがお昼ごはんだった。とてもおいしかった。——『大草原の小さな家』

コーンブレッドに代表される発酵もこねる必要もないパンは、インガルス一家のような開拓者の食事の基本でした。これに自家製バターを添えれば、シンプルだけれど、草原での感謝祭の立派なサイドディッシュになります。パンがまだ熱いうちに、ハチミツ入りのバターを塗るのを強くお勧めします。バターが溶けて艶が出ます。

作り方

1. バターとバターミルクを作る。スタンドミキサーのボウルにホイップクリームを入れ、ウィスクを取りつける。速度を2段階ずつ上げながら、各速度ごとに2分攪拌し、最高速度まで上げていく。必要ならば、ミキサーを止めて、ボウルの側面にくっついたクリームをゴムベラですくい取ってなじませる。

2. クリームが脂肪のかたまり(バター)と液体(バターミルク)に分離するまで攪拌しつづける。分離するまで約4分かかる。パシャパシャという音が聞こえはじめ、ボウルの側面に液体がはねるようになる。

3. ミキサーの速度を半分に落とす(ボウルの側面に液体がはねてこない場合は最高速度のままにしておく)。さらに1分攪拌を続け、はねが激しければ、必要に応じて速度を落とし、ミキサーを止めてボウルの側面についた液体をゴムベラですくい、ボウルの液体になじませる。

4. バターの大部分がバターミルクと分離し、アタッチメントの中央に集まったら、ミキサーを止め、アタッチメントについたバターをゴムベラで取り、ボウルに入れる。

5. ミキサーのボウルの液体をコランダー（ボウル状のこし器）でこし、中くらいのボウルに入れる。これがバターミルク。バターミルクはコーンブレッドに使うので、カウンターに出しておく。

6. バターをこねて球状にし、バターミルクが出てこなくなるまで両手でぎゅっと絞る。水道の水（できるだけ冷たいほうがいい）を流しながら、バターを3分こねつづける。水道を止め、水が1滴も出てこなくなるまでこねる。バターをきれいなボウルに移しておく。

7. ミキサーのボウル、アタッチメントのウィスクを洗って乾かす。バターをミキサーのボウルに戻し、塩とハチミツ（お好みで）を加えて攪拌する。それを小さめのボウルに移し、ラップ、または蓋をして密閉する。使う直前まで冷蔵庫で冷やす。

8. コーンブレッドを作る。オーブンを220℃に予熱。バター大さじ1を溶かしておく。

9. 大きめのボウルに小麦粉、コーンミール、ベーキングパウダー、重曹、塩、砂糖を入れ、フォークでかき混ぜる。中央にくぼみを作る。

10. 卵と溶かしバターを泡だて器でかき混ぜ、バターミルクに注ぎ入れる。それを9の中央のくぼみに注ぎ、フォークでざっと混ぜ合わせておく。

11. 直径28cmの鋳鉄製のスキレットに残りの大さじ1のバターを入れて、強めの中火にかけ、バターが泡立ち、パチパチはねるまで加熱する。スキレットに10をいっきに注ぎ入れ、スキレットを傾けて全体に広げる。1分で手早く調理する。

12. スキレットをオーブンに移し、焼き色がつくまで15〜20分焼く。生地を指で押して戻ってくればOK。

焼きたてを開拓者の感謝祭に！

簡単ロースト・スイートポテト

3カップ分

サツマイモ……中2本（約450g）
オリーブオイル……大さじ2
ニンニク（みじん切りにしておく）……1片
生のタイムの葉……小さじ1½
塩……小さじ½
コショウ……小さじ⅛

エドワーズさんはポケットからサツマイモを取り出した……。サツマイモは9本あった。町から持ってきてくれたのだ……。サツマイモを暖炉の灰に入れて焼き、きれいに拭けば、皮まで食べられる。
—— 『大草原の小さな家』

　素材のよさを引き立てるのは、いちばん簡単^{シンプル}な調理法だったりします。このローストしたサツマイモは少量のニンニク、タイム、塩、コショウで味付けしただけですが、甘さは格別です。

作り方

1. オーブンを190℃に予熱。サツマイモを流水でよくこすり洗いし、ペーパータオルで水気を拭き取る。サツマイモを2cmの角切りにし、中くらいのボウルに入れる。残りの材料をボウルに入れ、よく混ぜ合わせる。

2. 1を油を引いていない天板に移し、均一に広げる。20分焼く。フォークを刺してすっと通れば完成。

未開拓地を横断した長い一日のあとに!

シカ肉のポットロースト

1皿分（シカの首肉のロースト約1.6kg、付け合わせの野菜、肉汁〔グレービー〕480ml）

― ― ― ― ― ― ― ― ― ― ― ― ― ― ― ―

パースニップ（皮をむき、細かく刻んでおく）
……中2本
ニンジン（皮をむき、細かく刻んでおく）…中2本
黄タマネギ（皮をむき、細かく刻んでおく）……
大1個
セロリの茎（細かく刻んでおく）……大1本
ビーフブロス……1⅛カップ（240ml）
オリーブオイル……大さじ2
シカの首肉のロースト……約1.6kg（必要なら、スロークッカーに入るように10×23cmほどの円柱状になるよう、タコ糸で縛っておく）
コーシャーソルト……小さじ1
ガーリックパウダー……小さじ½
コショウ……小さじ¼
ベイリーフ……1枚
ローズマリーの小枝（18cmくらいのもの）
……1本
小麦粉……⅜カップ
ブラウニングソース……少量
塩とコショウ（お好みで）

>>> 特別な道具
スロークッカー
ステンレス製のこし器（ストレーナー）

素晴らしい夕ごはんだった。焚火のそばに座り、軟らかくていいにおいのするおいしい肉を、おなかいっぱい食べた。ローラはようやく皿を置き、満足げにため息をついた。ほかに何もいらないと思った。──『大草原の小さな家』

　インガルス家にはもちろんスロークッカーなんてありませんでしたが、シカ肉の硬さを考慮し、レシピを最大限に生かすために現代のテクノロジーに頼ることにしました。スロークッカーは水分を閉じ込め、脂肪をゆっくり分解して、軟らかく風味豊かなローストを手軽に作ることができます。

作り方

1. 野菜とビーフブロスをスロークッカーに入れる。

2. 大きめのスキレットにオリーブオイルを引いて中火にかけ、シカ肉の両面、側面に焼き色をつける。塩、コショウ、ガーリックパウダーを振る。スロークッカーに移し、ベイリーフとローズマリーを入れる。

3. 蓋をし、低温で6時間、調理する。シカ肉の内部の温度が60℃に達していればOK。トングでシカ肉のローストを取り出し、盛り皿に移す。穴開き大型スプーンで野菜をすくい、同様に盛りつける。冷めないようにアルミホイルをかぶせておく。鍋に残った液体を目の細かいストレーナーでボウルにこす。

4. 液体をスロークッカーに戻し、高温にセットする。小麦粉とブラウニングソースを泡だて器で3分、どろっとするまでかき混ぜる。味見をして、お好みで塩とコショウを追加する（塩：小さじ¼、コショウ：小さじ⅛）。グレービーを盛り皿に移す。

5. シカ肉のアルミホイルをはずし、お好みで追加のローズマリーを飾る。

おなかをすかせた開拓者の家族に！

感謝祭

メープルキャンディ

27個分

純粋メープルシロップ……1⅙カップ

>>> 特別な道具
キャンディ用温度計
メープルリーフのキャンディ型(約2.5×2.5
×1cm)

ある日の朝、母さんは糖蜜と砂糖を煮詰めて濃いシロップを作り、父さんはフライパン2つに外のきれいな真っ白い雪を詰めて持ってきた……。父さんと母さんは雪の上に黒い蜜をたらたらたらしていく方法を実演してみせた……すぐに固まって、キャンディになった。
── 『大きな森の小さな家』

　素朴な開拓者のキャンディは感謝祭の前に作っておくといいでしょう。5日前からキャンディ型に入れて冷蔵庫に保存しておけます。

作り方

1. 小さめのソースパンにシロップを入れ、弱めの中火にかけ、キャンディ用温度計で約140℃に達するまで熱する。型に注ぎ入れ、冷蔵庫で45分冷やす。
2. キャンディを1個ずつ四角く切ったパラフィン紙の真ん中に置き、紙を上下に2つ折りし、端をひねって結ぶ。包装したキャンディを深めの皿に入れる。

感謝祭のごちそうのデザートに!

秋の修道院のごちそう

〈レッドウォール伝説〉

ブライアン・ジェイクス著

とはいえ、ごちそうにありつける……
サムキンは喜び勇んでテーブルの自分の席へ走っていった。
……「ミセス・スピネイ、そのリンゴのターンオーバー（ふたつ折りのパイ）は
焼きたてですか?」大きな声で言った。「1切れください。
わあ、あなたの大広間ケーキを見てください、アルラ。
モスフラワーでいちばんだと思いませんか、ベロウズ修道士?」
—— ブライアン・ジェイクス著、ゲリー・チョーク画『サラマンダストロン（*Salamandastron*）』

.... **MENU** ....

ロームヘッジのナッツブレッド

パン1個（直径約18cm）分

ニンニク……1個（ローストする場合。ロースト
しない場合は2片）
オリーブオイル……小さじ1
小麦粉……2⅖カップ
塩……小さじ1
重曹……小さじ1
生のローズマリー（細かく刻んでおく）
………小さじ2
クルミ（細かく刻んでおく）……⅗カップ
バターミルク……1⅛カップ

アブラックは立ちあがって、伸びをした。「やってもいいが、ロンナ、ガーフォ・トロックは食い意地の張ってるやつだ。特にナッツブレッドには目がない。ナッツブレッドのためなら地獄へだって行くだろうよ！」──『ロームヘッジ修道院（Loamhedge）』

人気の食べごたえのあるパンの秘密は？ ローストしたニンニクです。急いでいるときは生のニンニクでもかまいませんが、ローストすると、風味が増し、甘さを感じられるようになります。このレシピではニンニク1個分をローストしていますが、余ったらパンに塗ったり、マッシュポテトに混ぜたり、本書のほかのレシピ、ベーコン入りホワイトウイスキー・ベイクドビーンズ（71ページ）、リーキとジャガイモのスープ（パースニップとガーリック入り）（105ページ）に使ってもいいでしょう。

作り方

1. オーブンを220℃に予熱。ニンニクの外皮をはがし、てっぺんを切り落とす。上からオリーブオイルをたらし、アルミホイルで包んで油を塗っていない天板にのせ、焼き色がつき軟らかくなるまで30分焼く。このレシピでは2片使用する。

2. パンを作る。オーブンを200℃に予熱。天板にクッキングシートを敷いておく。大きめのボウルに小麦粉、塩、重曹、ローズマリーを入れ、混ぜ合わせる。ニンニクをみじん切りにしてボウルに加え、指の腹でこするようにして粉類にまんべんなく混ぜ込む。粉類の上に刻んだクルミを散らす。かき混ぜないこと。

3. バターミルクをいっきに注ぎ入れ、手早くざっと混ぜ合わせる。

4. 打ち粉をした台に生地を置く。手と生地にも打ち粉をする。生地を直径約18cmの丸いパンに手早く成形する。パン生地を天板に移し、上面によく切れるナイフで大きな「×」印の切り込みを入れる。パンの底から約5mmのところまで深く切る。きつね色になるまで35分焼く。底を指で叩いて、中が空洞のような音がしたらOK。ケーキクーラーに移して冷ます。

おなかをすかせた森の生きものたちに！

リーキとジャガイモのスープ
（パースニップとガーリック入り）

スープ8²⁄₅カップ分

リーキ(根は切り落とし、白と薄緑色の部分だけを使う)……3本(約400g)

バター……60g

ニンニク(みじん切りにしておく)……2片

ジャガイモ(ユーコンゴールド)……3〜4個
(約600g)

パースニップ……大2本(約250g)

野菜ストック……1l

全乳(常温に戻しておく)……⅘カップ(180ml)

パルメザンチーズ……90g

塩……小さじ½

黒または白コショウ……小さじ⅛

スパイスで味付けした松の実(246ページ)
(飾り用)……お好みで

パセリ(飾り用)……お好みで

ハニーサックル号の乗組員はデューンホッグに歓待された。夕食にはリーキとジャガイモのスープ、そのあと、マッシュルーム、ラディッシュ、魚介のシチューと続き、デザートは巨大なフルーツのトライフルだった。 ── 『ルークの伝説（The Legend of Luke）』

　素朴でありながら非常になめらかなスープに仕上げる秘訣は？ リーキをじっくり煮込んでから野菜ストックを加えること。もちろん、たっぷりのパルメザンチーズも欠かせません。

作り方

1. リーキを半分に切る。泥がついていたら、外側の皮を取り除く。横に細切りにし、コランダー（ボウル状のこし器）に入れる。その状態で流水できれいに洗っておく。

2. 大きめの鍋を中火にかけ、バターを溶かす。リーキとニンニクを加える。ときどきかき混ぜながら3分炒める。弱めの中火に落とし、かき混ぜながらさらに40分、火を通す。

3. ジャガイモとパースニップの皮をむき、約1cm幅に切る。野菜ストックといっしょに鍋に入れる。強めの中火にかけ、沸騰したら弱めの中火に落とし、野菜が軟らかくなるまでぐつぐつ煮る。

4. スープの半量をミキサーに移し、なめらかになるまで20〜30分攪拌する。きれいなボウルに移しておく。残りのスープをミキサーで攪拌し、両方を鍋に戻す(ハンドブレンダーであれば、鍋の中ですべての作業を行うことができる)。全乳を数回に分けて入れ、その都度、かき混ぜる。パルメザンチーズをおろし、かき混ぜて溶かす。塩とコショウを入れ、かき混ぜる。お好みで、スパイスで味付けした松の実とパセリを飾る。

秋のレッドウォール修道院の晩餐会に!

カブとジャガイモとビーツの果てしなく深いパイ

直径約23cmのパイ1個分

>>> 詰め物

スイートオニオン(みじん切りにしておく)……1⅓カップ
バターナッツカボチャ(皮をむき、角切りにしておく)……⅗カップ
カブ(皮をむき、角切りにしておく)…1⅓カップ
パースニップ(皮をむき、角切りにしておく)……1⅓カップ
ビーツ(皮をむき、角切りにしておく)……1⅓カップ
ニンジン(皮をむき、角切りにしておく)……1⅓カップ
セロリ(刻んでおく)……1⅓カップ
マッシュルーム(スライスしておく)……1⅓カップ
オリーブオイル……大さじ3
塩……小さじ½
コショウ……小さじ¼

>>> つなぎ

レッドポテト……4個
ニンニク(みじん切りにしておく)……2片
塩……小さじ½
乾燥パセリ……大さじ1
ローズマリー……小さじ1
卵(常温にしておく)……1個

>>> パイ生地

小麦粉……1½カップ
塩……小さじ½
タイム……大さじ½
乾燥ローズマリー……大さじ½
無塩バター(角切りにして、冷蔵庫で冷やしておく)……90g
冷水……³⁄₁₀カップ(60ml)

モスフラワーじゅう探したって、ウォップル修道士より腕のいい料理人はいない。彼女はパイだって、スープだって、パスティー［肉や魚のパイ包み］だって作れる……モグラのためのカブとジャガイモとビーツの果てしなく深いパイ。あんなにおいしいものは食べたことがない……。

——『海の勇者たち(*The Rogue Crew*)』より、ウゴーの台詞

究極の根菜料理。ハーブで香りと味をつけたバターたっぷりの生地の中に、栄養満点の角切り根菜をぎっしり詰めた感謝祭の詰め物(スタッフィング)を思わせるパイ。〈レッドウォール伝説〉シリーズに登場するベジタリアンの動物たちが食べる料理なので、お肉は使われていませんが、お好みで角切りの鶏肉を入れてもいいでしょう。

作り方

1. オーブンを200℃に予熱。詰め物のすべての材料を大きめのボウルに入れ、全体にオリーブオイルがまわるまで混ぜ合わせる。天板にアルミホイルを敷き、野菜を均一に広げる。途中でかき混ぜながら、45分焼く。焼きはじめて15分たったら、つなぎに用いるレッドポテトにフォークで4〜5箇所穴を開けて天板にのせ、野菜といっしょに焼く。
2. 野菜が焼きあがるまでのあいだにパイ生地を作る。中くらいのボウルにバターと水を除くすべての材料を入れる。フォークでバターを細かく切りながら、粉に混ぜ込む。水を大さじ1ずつ何回かに分けて入れ、生地を指で押してべたつきがなくなるまでフォークで混ぜる。生地を1つにまとめてから、直径10cmほどの円盤状に伸ばす。ラップで包み、15〜20分冷凍庫に入れ、生地を落ち着かせる。
3. 打ち粉をした台に生地を出し、直径30cmになるまで伸ばす(生地が硬くて伸ばしにくかったら、手のひらで押して扱いやすい軟らかさにする)。パイ

皿に生地をのせ、はみ出した部分を切り取り、お好みで飾りに使う。

4. オーブンから野菜を取り出す。大きめのボウルでレッドポテトをつぶし、ほかのつなぎの材料をすべて入れて混ぜる。オーブンで焼いた野菜を1カップずつ数回に分けて混ぜ、パイ生地の中に注ぐ。

5. 200℃に予熱しておいたオーブンに入れる。15分たったら、180℃に下げ、パイ生地に軽く焼き色がつくまでさらに25～30分焼く。

できたてのパイを切り分けて、レッドウォールの素敵な動物たちに食べてもらおう！

ダムソンプラムと洋ナシのクランブル、メドウクリームとミント添え

約48×33cmのガラス製耐熱容器
1個分(約8人分)

>>> クランブル
熟した洋ナシ……約2kg
ダムソンプラムのプリザーブ…1⅛カップ
コーンスターチ……大さじ3
レモン汁……小さじ2
塩……小さじ½
オートミール……⅜カップ
ブラウンシュガー(計量カップにきっちり詰めて量っておく)……⅜カップ
小麦粉……³⁄₁₀カップ
シナモン……小さじ½
ナツメグ……小さじ½
クローブ……小さじ¼
無塩バター(冷蔵状態)……60g
ピーカンナッツ(細かく刻んでおく)…⅜カップ

>>> メドウクリーム
生クリーム(乳脂肪分が48%以上のもの)……1⅛カップ
ハチミツ……大さじ3
ミントの葉(飾り用)

ディナーのテーブルにはパンとチーズがたくさん並んでいた。おいしい野菜スープに、いろいろなペストリー、素晴らしい夏のサラダも。デザートにはダムソンプラムと洋ナシのクランブルか、ハチミツ入りのプラムプディングのどちらかを選べた。
——『呪われた白い光(Doomwyte)』

　ダムソンプラムは旬の時期でも大手のスーパーマーケット・チェーンで見かけることはあまりありません。そこで、このレシピでは年間を通して手に入りやすいダムソンプラムの砂糖煮を使いました。ただ、市販されている商品の中には、種が混入している可能性があるので注意するようにという注意書きが添えられたものもあります。ダムソンプラムの種は取り除きにくいことで知られていて、できあがったプリザーブをこしているメーカーもありますが、種を完全に取り除くことは不可能なので、プリザーブを使用する際には注意してください。

作り方

1. プラムと洋ナシのクランブルを作る。オーブンを180℃に予熱。梨の皮をむいて4等分し、芯と種を取り除く。4等分したものをさらに厚さ1cmのくし形に切る(1つにつき約3枚)。大きめの鍋に入れる。

2. 中くらいのボウルに、ダムソンプラムのプリザーブ、コーンスターチ、レモン汁、塩を入れ、泡だて器でよく混ぜ合わせる。1の鍋に入れ、よくかき混ぜる。

3. 鍋を強めの中火にかけ、ときどきかき混ぜながら20〜25分煮る。液体にとろみがつき、洋ナシが軟らかくなっていればOK。どろどろになるまで煮る必要はない。

4. 3を約48×33cmのガラス製耐熱容器に移す。中くらいのボウルにオートミール、ブラウンシュガー、小麦粉、シナモン、ナツ

メグ、クローブを入れ、フォークでよく混ぜ合わせる。そこへ
角切りにしたバターを加え、指先でつぶすようにしてそぼろ状
にする。ピーカンナッツを入れてさらにかき混ぜたものを、3を
入れた容器の全体に散らす。

5. 表面に火が入り、生地がふつふつするまで20分焼く。オーブン
から出して10分休ませる。

6. メドウクリームを作る。スタンドミキサーのボウルに生クリーム
を入れ、中高速で数分間攪拌する。とろみがつき、角が立つ直
前で止める。ハチミツを少しずつ入れ、底にたまらないように
数回そっとかき混ぜる。ミキサーを再スタートさせ、角がピン
と立つまで攪拌する。

7. 小さめのボウルにクランブルをスプーンですくって入れ、上に
メドウクリームをのせ、ミントの葉を飾る。

収穫のお祝いに!

MEMO アイスクリームとの相性も抜群!

Hot Cocoa

1. Using a microwave-safe mug, heat 1 cup milk in a microwave on high for 1-2 minutes, stirring halfway through.

2. When milk is steaming, stir in ¼ cup cocoa mix.

3. Enjoy!

* contains 4 servings

ジョー・マーチのホットココアミックス（233ページ）

ヴァン・タッセル邸でのディナー

『スリーピー・ホローの伝説』

ワシントン・アーヴィング著

ここで、われらが英雄イカボッド・クレインがヴァン・タッセル邸の
広々とした応接間に入るやいなや、
うっとり見とれてしまったものについてお話ししよう……。
秋の味覚をふんだんに使った本物のオランダの田舎料理だった。

MENU

- アップルサイダー・クルーラー（117ページ）
- ブラウンシュガー・
  グレーズド・ターキー（119ページ）
- 叩きつぶしたカボチャのスープ（121ページ）
- メープルとクルミのアップルパイ（123ページ）

アップルサイダー・クルーラー

約24個分
··

>>> クルーラー
バター……120g
水……⅜カップ（120ml）
アップルサイダー……⅜カップ（120ml）
小麦粉……1⅛カップ
卵（しっかり溶いておく）……4個
植物油（揚げ油）

>>> アイシング
粉糖（ふるっておく）……1⅛カップ
アップルサイダー……大さじ2

>>> 特別な道具
金属製のトング

オランダの年配の主婦しか知らないようなありとあらゆる種類の菓子が大皿に積みあげられていた！ 歯ごたえのあるドーナツ、ふんわりしたオウリー・クーク［ドーナツの元祖と言われるオランダの揚げ菓子］、カリッとしてホロホロと崩れるクルーラーなど。

伝統的なドーナツ生地ではなく、シュー生地を使うのがフランス式のクルーラー。外はカリッとして、中はカスタードクリームのようにふわっとしたドーナツになります。

作り方

1. 約8cm四方の正方形に切ったクッキングシートを24枚用意する。

2. バター、水、アップルサイダーを中くらいのソースパンに入れ、弱火にかけてバターを溶かす。中火に強め、沸騰させる。火を止め、粉をいっきに入れ、ゴムベラで手早くかき混ぜる。再び中火にかける。絶えずかき混ぜながら2分加熱する。火から下ろし、ハンドミキサーの中速で卵を攪拌し、ソースパンに大さじ½ずつ数回に分けて加え、なめらかになるまでかき混ぜる。

3. 特大の星形の口金をつけた絞り出し袋に2を半分まで入れる。

4. 大きめの鍋に揚げ油を入れ、中火で180℃になるまで熱する。

5. そのあいだに、切り取った24枚のクッキングシートに直径約6cmの円を絞り出す。生地が足りなくなったら足す。

6. クッキングシートの側を下にして、揚げ油にクルーラーを2、3個ずつそっと入れる。10〜15秒たつと、金属製のトングで簡単にクッキングシートをはずせるようになる。クルーラーの両面が濃いきつね色になるまで2分程度揚げる。トングでそっと引きあげ、用意しておいた網にのせて油を切る。残りのクルーラーも同様に揚げる。

7. 揚げているあいだに、アイシングの材料をなめらかになるまでかき混ぜる。すべて揚がったら、アイシングを振りかける。

ヴァン・タッセル邸でのパーティーに！

ブラウンシュガー・グレーズド・ターキー

1羽(約6.8kg)分

>>> 七面鳥

七面鳥(冷凍なら解凍し、臓物と首を取り除いておく)……1羽(約6.8kg)
コーシャーソルト……大さじ3(分けて使用)
黒コショウ……小さじ1
オリーブオイル……大さじ3
オレンジ(4等分にしておく)……1個
ローズマリーの枝……大2本
クランベリー……1⅛カップ

>>> グレーズ

アップルサイダー……1⅛カップ(240ml)
ブラウンシュガー(計量カップにきっちり詰めて量っておく)……⅜カップ
レモン汁……小さじ1
ショウガ(すりおろしておく)……小さじ¼
コーシャーソルト……小さじ¼
コショウ……小さじ⅛

MEMO 調理を始める前、手順1で七面鳥を必ず冷蔵庫で10時間冷やす。

クレイン先生は冬の贅沢な食事を約束してくれる動物たちを見て、よだれをたらしそうになった……七面鳥は羽の下に砂肝を大事に隠し持っているはずだ。

　大型鳥のローストに挑戦してみたいという初心者の方にお勧めのレシピです。塩水に浸けたり、焼きながら肉汁をかけたり、手羽足をくくったり、手間のかかる詰め物を作る心配はいりません。前もって塩で味付けし、グレーズにブラウンシュガーを使うことで、面倒な処理をすることなく普通の七面鳥を特別なものにできます。

作り方

1. 七面鳥をペーパータオルで拭き、塩大さじ2とコショウを表面全体にすり込む。約33×46cmの天板にアルミホイルを敷き、その上に網をのせる。網に七面鳥をのせ、おおいをせずに冷蔵庫で10時間冷やす。

2. オーブンを180℃に予熱。

3. 七面鳥にオリーブオイルをすり込む。胸肉の下に指を差し入れ、身から皮を持ち上げ、その部分にもオリーブオイルをよくすり込む。残りの塩大さじ1もすり込む。

4. 七面鳥の臓物を取り出したおなかにオレンジ、ローズマリー、クランベリーを詰める。足は胴にくくりつけない(こうすることで、七面鳥に均一に火が通る)。手羽先を背中にたくし込み、2時間焼く。

5. そのあいだにグレーズを作る。小さめのソースパンにグレーズの材料をすべて入れ、ブラウンシュガーが溶けるまでかき混ぜる。中火にかけ、沸騰したら弱めの中火に落とし、15分煮詰めておく。

6. 2時間経過したら、オーブンの温度を220℃に上げ、15分おきに5のグレーズを塗る。さらに1時間焼き、肉の内部まで火が通ったらOK。30分休ませてから切り分ける。

スリーピー・ホローの祝宴に!

叩きつぶしたカボチャのスープ

7⅘カップ分

サツマイモ……1本（約450g）
ニンジン……大2本
スイートオニオン……1個
オリーブオイル……大さじ1
ローズマリー……小さじ½
塩……小さじ1
コショウ……小さじ¼
ベーコンスライス……12枚
カボチャのピューレ……1缶（約425g）
野菜ストック……3カップ（600ml）
サワークリーム（飾り用）
青ネギ（飾り用。みじん切りにしておく）

教会に通じる道の途中で、踏みつけられ泥だらけになった鞍が発見された。恐ろしいスピードで駆けてきたのだろう。道には馬の蹄の跡が深く残り、それが橋まで続いていた。その先には……不運なイカボッドの帽子が落ちていて、横につぶれたカボチャがあった。

　感謝祭にカボチャの料理は欠かせません。いちばんのお勧めはカボチャのスープです。ベーコン入りなので、塩気があり、食べごたえもあります。

作り方

1. オーブンを200℃に予熱。サツマイモ、ニンジン、タマネギの皮をむき、約1cm角に切る。大きめのボウルにオリーブオイル、ローズマリー、塩、コショウを入れ、オリーブオイルが全体に行き渡るように混ぜ合わせる。天板に角切りにした野菜を広げ、途中でかき混ぜながら20分焼く。フォークを刺してすっと通ればOK。

2. 野菜を焼いているあいだにベーコンをみじん切りにして炒める。ペーパータオルを敷いた皿に移し、余分な脂を切る。ベーコンの⅓量を飾り用に取っておく。

3. 飾り用を除くすべての材料（野菜、残りのベーコン、カボチャのピューレ、野菜ストック）の半量をブレンダーに入れ、なめらかになるまで攪拌して、大きめの鍋に移す。

4. 残りの半量も手順3を繰り返す。中火にかけ、ときどきかき混ぜながら完全に火を通す。

5. 盛り付け用のボウルに取り分け、上にサワークリーム、青ネギのみじん切り、取っておいたベーコンのみじん切りを飾る。

馬に乗るカボチャ頭の幽霊に！

感謝祭

メープルとクルミのアップルパイ

直径約23cmのパイ1個分

≫≫ パイ生地
小麦粉……3カップ
クルミパウダー……⅜カップ
塩……小さじ1
無塩バター(角切りにして冷やしておく)……
180g
冷水……⅜カップ(120ml/必要に応じて増やす)
卵(大さじ1の水を加えて、卵液を作っておく)……
1個
中白糖(振りかける用)……大さじ½

≫≫ 詰め物
リンゴ(ピンクレディ)……3個
リンゴ(グラニースミス)……2個
純粋メープルシロップ……⅜カップ
小麦粉……大さじ1
シナモン……小さじ¾
塩……小さじ¼
無塩バター(角切りにし冷やしておく)……
30g

≫≫ 特別な道具
メープルリーフのクッキー型、またはクッキースタンプ(約5cm)
リンゴのクッキー型、またはクッキースタンプ(約4cm)

オランダの年配の主婦しか知らないようなありとあらゆる種類の菓子が大皿に積みあげられていた……。アップルパイ、ピーチパイ、パンプキンパイ……。幸い、イカボッド・クレインは語り手のわたしのように急いではおらず、豪勢な料理をじっくり味わった。

　このパイは作るのに手間がかかりそうに見えますが、クッキースタンプ(ない場合はクッキー型)で抜いた生地を同心円状に並べていくだけで印象的なビジュアルが作れます。

作り方

1. 大きめのボウルに小麦粉、クルミパウダー、塩を入れ、かき混ぜる。バターを加え、指かフォークでバターが全体に行き渡り、豆粒くらいの大きさになるまで混ぜ合わせる。

2. 水60mlを少しずつ入れ、フォークで混ぜる。大さじ1ずつ水を加えながら、生地がまとまり、指で押したときにしっとりするまで混ぜる。濡れている状態では混ぜ方が不充分。生地を2等分して球状にまとめ、それぞれ直径10cmの円盤状に伸ばす。2枚の生地をラップできっちり包み、冷蔵庫で45〜60分、生地がしっかりしてくるまで冷やす。硬くなるまで冷やす必要はない。

3. 生地を冷やしているあいだに詰め物を作る。リンゴの皮をむいて芯をくりぬき、約5mmの厚さにスライスし、大きめのボウルに入れる。

4. メープルシロップと小麦粉をフォークでよく混ぜ合わせる。3のボウルにシナモン、塩といっしょに加え、よく混ぜ合わせる。ラップをしておく。

5. オーブンを220℃に予熱。生地が冷えたら、1枚目の円盤状の生地のラップをはずし、打ち粉をした台に移して直径約36cmになるまで伸ばす。生地がべたつくようなら、台とめん棒に打

ち粉をする。直径23cmのパイ皿に移し、はみ出した部分を切り
取る。

6. 詰め物の材料をよくかき混ぜる。メープルシロップ（とろみをつける
役割を果たす）がよく混ざるようにボウルの底からすくい上げるよう
にして混ぜる。パイ皿の底にリンゴのスライスを並べる。＊残り
の液体をスプーンいっぱいによそって数回に分けて表面にたら
し、角切りにしたバターを散らす。

＊リンゴを1つ1つ並べていくのは手間も時間もかかるが、それだけの価値
はある。隙間ができないので均一に火が入り、焼きむらを防ぐ。

7. 台とめん棒に再び打ち粉をして、もう1枚の生地を1枚目と同様
に直径約36cmになるまで伸ばす。クッキー型、またはクッキ
ースタンプで5cm大のメープルリーフを41枚、4cm大のリン
ゴを1枚抜く。メープルリーフの葉を少し重なるようにして同心
円状に並べていく。パイ皿の中心から円を描くように並べる。こ
うすることで外側に余白が残り、蒸気を逃がす役目を果たす。
リンゴの形に抜いた生地を中央にのせる。

8. 卵液を塗り、中白糖をまぶす。45〜50分、皮がこんがりきつね
色になり、リンゴが軟らかくなるまで焼く。20分前になったら
チェックし、充分に焼き色がついていたら、パイにアルミホイル
をゆったりかぶせて焼きつづける。焼き色が充分についていな
い場合は、つくまでアルミホイルをかぶせる必要はない。

9. オーブンから取り出し、4〜24時間休ませる。＊＊

＊＊このレシピでは焼きあがったあと、最低4時間は休ませる必要がある。
時間に余裕を持って作る。

スリーピー・ホローの秋の祝宴に！

インフューズド・ハニー（251ページ）

百エーカーの森の
お祝い

〈クマのプーさん〉

A・A・ミルン著

プーは言いました。「そうだな、ぼくがいちばん好きなのは」ここで、
はたと考え込みます。ハチミツを食べるときはすごくうれしいけれど、
実際に食べているときよりも、食べはじめるほんの少し前のほうがうれしかったりする。
でも、それをどうやって説明したらいいのかわかりませんでした。
—— 『プー横丁にたった家』

感謝祭

ピグレットのためのドングリ

15個分

アジアーゴ・チーズ［イタリア産のチーズ］
……約85g
スイス・チーズ（塗るタイプのもの）…4個（1個
につき約20g）
スライスアーモンド……³⁄₁₀カップ

ドングリをまいているんだよ、プー。そうすれば大きなカシの木に
なって、ドングリの実がどっさりなる。何マイルも何マイルも歩いて
いかなくてすむ。そうだろう、プー？
　　　──『プー横丁にたった家』より、ピグレットの台詞

　ピグレット（コブタ）はわたしの大好きなキャラクターです。小さくたっ
て広い心を持つことができると教えてくれるからです。ピグレットの大好
物を作って敬意を表しましょう。ドングリは食べておいしいものではあり
ませんが、このチーズで作るドングリは、これから百エーカーの森（百
町森）をめぐる食の旅に出るのにぴったりのひと品です。

作り方

1. アジアーゴ・チーズを細かくおろす。中くらいのボウルにおろ
   したアジアーゴ・チーズとスイス・チーズを入れ、よく混ぜる。
   ラップをして、冷蔵庫で30分冷やす。

2. オーブンを160℃に予熱。油を塗っていない天板にアーモンド
   スライスを広げ、うっすら焼き色がつくまで3〜5分焼く。粗熱
   が取れてから、アーモンドを中央に寄せ、めん棒で細かく砕く。

3. 天板にクッキングシートを敷く。
   1を口金をはめた絞り出し袋に入
   れ、円を描くようにして円錐形に
   なるように中身を絞り出す（1つに
   つき大さじ½程度の量）。指で下向きに
   なぞり、先をつまんでドングリの
   形にする。

4. ふんわりとラップをして、冷蔵庫で30分冷やす。

5. 取り出した生地の底に砕いたアーモンドをまんべんなくつける。
   そうすることで、盛り皿にのせて出したときにくっつかずにすむ。

お気に入りの小さな動物たちと過ごすひとときに！

カトルストン・パイ

直径約23cmのポットパイ1個分

鶏のささみ……約450g

オリーブオイル(ささみに塗る用)

塩……小さじ1½(分けて使用)

コショウ……小さじ¼(分けて使用)

ニンジン(皮をむき、1cmの角切りにしておく)

……大4本

ジャガイモ(アンデスレッド/1cmの角切りにしておく)……中3個

セロリの茎(細かく刻んでおく)……2本

黄タマネギ(皮をむき、角切りにしておく)…1個

冷凍グリーンピース……1⅓カップ

ニンニク(みじん切りにしておく)……2片

乾燥タイム……小さじ1

チキンクリームスープ……1缶

冷凍パイシート(解凍しておく)……1枚

卵液(水大1を加えて溶いておく)……1個

>>> 特別な道具

秋らしいクッキー型(ドングリや葉っぱなど)

カトルストン、カトルストン、カトルストン・パイ。

蠅(フライ)は鳥(バード)になれないけれど、鳥(バード)は飛ぶ(フライ)ことができる。

ぼくに謎かけをしたら、答えるよ。

カトルストン、カトルストン、カトルストン・パイ──『クマのプーさん』

　感謝祭にポットパイ?　と思われるかもしれませんが、ポットパイなら、七面鳥の丸焼きのように長時間かけなくても大勢の分を用意することができます。感謝祭の残り物を使いきるのにもいい方法です。鶏のささみを七面鳥を細く裂いたものに替えるだけでいいのです!

作り方

1. オーブンを180℃に予熱。油を引いた天板に鶏のささみを等間隔に並べる。刷毛で薄くオリーブオイルを塗り、小さじ½の塩と小さじ⅛のコショウを振って15分焼く。切ったときに肉汁が出てくればOK。

2. 大きめのボウルに、野菜、グリーンピース、ニンニク、乾燥タイム、チキンクリームスープと残りの塩とコショウを入れる。1のささみを約2.5cm角に切り、ボウルに加え、よく混ぜ合わせる。

3. 軽く打ち粉をした台で、冷凍パイシートを25cm四方の正方形に伸ばす。その上に、直径23cm、容量2.5lの耐熱ボウルをさかさまにしてのせ、ボウルの縁に沿って生地をカットする。ボウルをはずして、ボウルに詰め物を入れる。

4. 口径の大きな口金の裏(リンゴの芯でもいい)でパイ生地の中央に穴を開ける。3の上にパイ生地をのせる。

5. 余り生地を伸ばし、クッキー型で秋らしい形を抜いたら、4の上にのせ、刷毛で卵液を塗る。

6. 天板に移し90分焼く。パイにふんわりアルミホイルをかぶせ、さらに30分、完全に火が通るまで焼く。出す前に最低10分は休ませる。

百エーカーの森の秋のパーティーに!

ウサギの秋の収穫サラダ

6人分

>>> サラダ

ドングリカボチャ……1個（約600g）
ビーツ……2個
オリーブオイル……大さじ2
ハチミツ……大さじ1
コーシャーソルト……小さじ1
コショウ……小さじ¼
カブの葉……大12枚（分けて使用）＊
バジルの葉……大6枚
クルミ（お好みでローストし、刻んでおく）
……⅔₁₀カップ
クランブル状のフェタチーズ…⅔₁₀カップ
ドライチェリー……大さじ6

**>>> ハチミツとバルサミコ酢
のドレッシング**

バルサミコ酢……大さじ2
オリーブオイル……大さじ2
ハチミツ……大さじ1
塩……小さじ⅛
コショウ……小さじ⅛

＊カブは好きではないという方もご心配なく。カ
ブの葉はカブの根のような味はしない。くせがなく、
ケールに似た味。

今日もウサギは忙しくなりそうです。目が覚めた瞬間、なんだか
えらくなったような、自分の肩にすべてがかかっているような気
がしました。何かを計画したり、ウサギと署名した貼り紙の文章
を書いたり、みんなの意見を聞いてまわるのにもってこいの日で
した。──『プー横丁にたった家』

　クマのプーさんのレシピなので、ウサギの庭に捧げるこの一品にも
ハチミツを使いました。とはいえ、季節柄、おいしいメープルシロッ
プに替えてもいいでしょう。

作り方

1. オーブンを200℃に予熱。天板2枚に油を塗っておく。

2. ドングリカボチャを縦半分に切り、スプーンで種を取り出す。
   縦半分に切ったカボチャを今度は横半分に切り、4等分する。4
   等分した1つを1cmの厚さに切る。大きめのボウルに移す。

3. ビーツの皮をむき、厚さ5mmの輪切りにする。さらに半分に切
   り、オリーブオイル、ハチミツ、塩、コショウといっしょに2の
   ボウルに加える。よく混ぜ、ビーツに調味料をまんべんなくか
   らめる。ボウルの中身を天板に重ならないように広げる。途中
   でひっくり返したり、天板の向きを変えたりしながら、20分焼く。
   オーブンから取り出し、天板にのせたまま10分冷ます。

4. カブの葉を食べやすい大きさに切り、大きめの盛り付け用ボウ
   ルに入れる。バジルの葉を1枚1枚積み重ね、縦にきつく巻いて
   横に細く切る。細切りにしたバジルの葉を、クルミ、フェタチ
   ーズ、ドライチェリーといっしょにボウルに加える。ドングリカ
   ボチャとビーツも加えておく。

5. ドレッシングを作る。メイソンジャーなどの小さな密閉容器にド
   レッシングの材量をすべて入れる。密閉し、30秒振ってよく混
   ぜ合わせる。サラダにドレッシングをかけ、よくあえる。

百エーカーの森の友だちに！

プーのハニーレモンクッキー

24枚分

>>> **クッキー**
小麦粉……1⅛カップ
ベーキングパウダー……小さじ⅛
バター(軟らかくしておく)……120g
グラニュー糖……大さじ2
粉糖……³⁄₁₀カップ
塩……小さじ¼
レモンの皮……小さじ1½
ハチミツ……大さじ1
レモン汁……小さじ2

>>> **アイシング**
粉糖……³⁄₁₀カップ
ハチミツ……小さじ1½
レモン汁……小さじ¾
ハチの巣キャンディ(砕いておく)……お好
みで(250ページ参照)

「いつもいまごろ何か口に入れるようにしているんだ……」と、〔プ
ー〕はフクロウの客間の隅にある戸棚のほうをものほしげな目で見
ました。「コンデンスミルクひと口とか、ハチミツひとなめとか」
—— 『クマのプーさん』

プーさんの大好物のハチミツなくして、『クマのプーさん』のメ
ニューは完成しません! この繊細なバタークッキーは、百エーカ
ーの森のパーティーを締めくくる甘いデザートになります。

作り方

1. クッキーを作る。小さめのボウルに小麦粉、ベーキングパウダ
ーを入れ、フォークでかき混ぜておく。

2. ミキサーのボウルに、バター、グラニュー糖、粉糖、塩、レモ
ンの皮を入れ、中速でなめらかになるまで攪拌する。ハチミツ、
レモン汁を加えてさらに攪拌する。1の粉類を加え、よく混ぜる。

3. 生地を長さ約23cmの円柱状に成形し、ラップできっちり包む。
25分冷凍する。オーブンを200℃に予熱。

4. 円柱状の生地の半分を1cmの厚さの円盤状に切る。

5. 油を塗っていない天板に、4の生地12枚を5cm間隔に並べ、8〜
10分、生地が硬くなり、端に軽く色がつくまで焼く。

6. 焼きあがったら天板にのせたまま、5分冷ます。ケーキクーラ
ーに移し、完全に冷ます。残りの半分の生地を同様にして焼く。

7. アイシングを作る。小さめのボウルに粉糖、ハチミツ、レモン
汁を入れ、なめらかになり、とろみがつくまでかき混ぜる。クッ
キーにアイシングをたらす。ハチの巣キャンディを加える場合は、
出す直前にアイシングを作り、アイシングをたらしてから砕いた
キャンディ小さじ¼をクッキーのてっぺんにのせる。

ちょっと間抜けな愛しいクマさんに!

万聖節前夜はお化け、幽霊、鬼、その仲間たちのための日です。
霧のはるか向こうから聞こえてくる人狼の遠吠え、次の獲物を求
めて街を徘徊する吸血鬼。ハロウィーンが近づいてくると、死
を連想せずにはいられません。

　　この時期独特の雰囲気は、数世紀にわたって作家の創造力を刺
激したばかりか、ハロウィーンと同義語になった作家も少なく
ありません。ハロウィーンが公式に祝祭日［アメリカにおいて］と定
められる以前に書かれた作品でもそうです。ブラム・ストーカ
ーの『吸血鬼ドラキュラ』は、いにしえの恐ろしい伝説をわた
したちの日常にもたらしました。エドガー・アラン・ポーは恐
怖心を呼び起こすゴシックホラーのスタイルを楽しむように誘
いかけ、アーサー・コナン・ドイルは生と死の二面性を科学的
な虫メガネのレンズを通して分析します。

　　そうした豊かな文学の伝統をむだにすることはありません！
ハロウィーンパーティーと文学はとっても相性がいいのです。
だから、いちばん上等な赤いベルベットのマントをはおって、オ
ーブンに火を入れましょう──夜が明けてしまう前に！

ちょっとひと噛み

『吸血鬼ドラキュラ』

ブラム・ストーカー著

ようこそわが家へ！　さあさあ、遠慮なくお入りなさい。
そして、無事に出ていきなさい。
あなたが持ってきた幸せは置いていくように。

MENU

レンフィールドの
スパイダーチップスとサルサ

チップス20枚、サルサ3⅗カップ分

>>> **サルサ**
青ピーマン(種とわたを取り除き、4等分しておく)
……1個
赤パプリカ(種とわたを取り除き、4等分しておく)
……1個
ローマトマト(種を取り、さいの目に切っておく)
……4個
ホワイトオニオン(さいの目に切っておく)……
⅗カップ
ニンニク(みじん切りにしておく)……1片
ライム汁……小さじ2
パクチー(適当な長さに切っておく)……
小さじ2
コーシャーソルト……小さじ½
スモークパプリカパウダー……小さじ¼
あらびきレッドペッパーフレーク……
小さじ¼(お好みで)

>>> **スパイダーチップス**
ブルーコーン・トルティーヤ*……
約15cmのものを10枚
オリーブオイル……大さじ2
コーシャーソルト……大さじ½

>>> **特別な道具**
蜘蛛のクッキー型(8cm)

*ブルーコーン・トルティーヤはメキシコ産の
青トウモロコシを使ったトルティーヤ。グルテン
フリーで味が濃いのが特徴。一般的なスーパ
ーマーケットではほとんど扱っていないが、国
際的な市場やヒスパニック系の店主が経営する
食料品店で入手できる。

**生地をむだにしないために、余り生地にオリ
ーブオイルを塗り、塩を振って焼き、形のふぞ
ろいなチップスにしたり、細長く切って焼いたも
のをサルサに加えてもいい。

[レンフィールドの]蜘蛛は蠅と同じように迷惑極まりないも
のになっていて、今日彼に駆除したほうがいいと言った……。
ぞっとする黒蠅が……ブーンと部屋に飛び込んでくると、彼は
それをつかまえ……どうするつもりなのかと思っていると、いき
なり口の中に入れ、食べてしまった。

中央ヨーロッパ、ルーマニアの独特な雰囲気をかもし出すために、
黒く焼き色をつけたピーマンとパプリカを主役にしたサルサソースと
チップスを作ってみました。

作り方

1. サルサを作る。鉄製のスキレットを火にかけ、強火で熱する。
   充分に熱くなったところに青ピーマンと赤パプリカを入れ、6分
   焼く。ときどき押さえながら、両面に均一に黒い焼き色がつくよ
   うに焼く。

2. ピーマンとパプリカをスキレットから取り出し、冷ます。角切り
   にし、残りのサルサの材料といっしょに中くらいのボウルに入れ
   る。かき混ぜてラップをし、1時間マリネ液に漬ける。

3. スパイダーチップスを作る。オーブンを180℃に予熱。1枚のト
   ルティーヤにつきスパイダーを型で2枚抜き、油を塗っていな
   い天板2枚に並べる。**スパイダーの両面に刷毛で薄くオリ
   ーブオイルを塗り、コーシャーソルトを振りかける。途中で天
   板の向きや位置を変えながら10〜12分焼く。ケーキクーラー
   に移して冷ます。

トランシルヴァニアの荒れ果てた城の薄暗い食堂で、ひねくれた
伯爵に出してあげよう!

ハロウィーン
142

どろぼう焼き

6本分

>>> 調味料
スモークパプリカパウダー……大さじ1
塩……小さじ1
ガーリックパウダー……小さじ¾
あらびきレッドペッパー……小さじ½
グラウンドマスタード……小さじ¼
黒コショウ……小さじ⅛

>>> ケバブ
厚切りのベーコン……6枚
サーロインステーキ……約300g
赤パプリカ……1個
青ピーマン……1個
スイートオニオン……½個
オリーブオイル……大さじ3

>>> 特別な道具
ケバブ串……6本
グリルパン

MEMO 写真のケバブは金属製の串を使っているが、木製や竹製を使う場合は焦げるおそれがあるので、最低20分は水に浸けてから使用する。

「どろぼう焼き」と呼ばれているものを食べた。ベーコン、タマネギ、赤トウガラシで味付けした牛肉を、ロンドンで猫に餌をやるときのように串に刺して炙ったものだった。

　いぶしたようなにおいに、スパイシーで甘みも感じられるケバブはハロウィーンパーティーにぴったりな料理です。わずかですがニンニクを使っているので、吸血鬼も寄りつきません！

作り方

1. 小さめのボウルに調味料の材料をすべて入れ、かき混ぜる。

2. ケバブを作る。厚切りのベーコンに調味料を振る。片面につき小さじ約⅛を振り、軽くすり込む。

3. サーロインステーキとピーマン、パプリカを4cmの長さに切り、中くらいのボウルに入れる。タマネギを縦半分に切り、1枚ずつはがしたものをオリーブオイルといっしょにボウルに加え、オイルが全体に行き渡るようによく混ぜる。残りの調味料の半量を振り入れて混ぜ、さらにかき混ぜる。

4. 串を1本取り、串の先端から2.5cmのところに青ピーマンを刺す。次にベーコンの片方の端を刺す。タマネギ、赤パプリカ、再びタマネギと刺す。すべてを2.5cm下にずらし、2番目のタマネギの上でベーコンを折り、串に刺す。その上にステーキと青ピーマンを刺し、またベーコンを折って刺す。これを青ピーマンの細切り2枚、赤パプリカの細切り2枚、タマネギ4枚、サーロインステーキを切ったものを2枚使いきるまで繰り返す。ベーコンをほかの食材のあいだを縫うように刺すのがポイント。残りの5本の串も同様にして刺す。

5. 熱したグリルパンで幅の広い面を2分、狭い面を1分焼く。

年老いた吸血鬼を探してトランシルヴァニアの地方を旅しているときに！

ドラキュラのディナーロール

15個分

>>>赤い生地
ぬるま湯……大さじ2(30ml)
牛乳(常温に戻しておく)……³⁄₁₀カップ(60ml)
活性ドライイースト……3.5g
バター(軟らかくしておく)……30g
卵……½個
塩……小さじ¼
ニンニク(みじん切りにしておく)……3片
砂糖……大さじ2
ジェル状の食用色素(赤)……小さじ¼
小麦粉……1½カップ+大さじ2

>>>黒い生地
ぬるま湯……大さじ2(30ml)
牛乳(常温に戻しておく)……³⁄₁₀カップ(60ml)
活性ドライイースト……3.5g
バター(軟らかくしておく)……30g
卵……½個
塩……小さじ¼
ニンニク(みじん切りにしておく)……3片
砂糖……大さじ2
ジェル状の食用色素(黒)……小さじ¼
小麦粉……1½カップ+大さじ2

>>>グレーズ
バター(軟らかくしておく)……60g
ニンニク(みじん切りにしておく)……1片
パルメザンチーズ(すりおろしておく)……
小さじ3¾

>>>特別な道具
パドルのアタッチメント

今夜はどうしたわけか、ひとりでいるのが怖くない。怖い思いをせずに眠れそう。窓の外でバタバタ音をたてるものなんか気にしない……。ニンニクは好きじゃなかったけれど、今夜はありがたい!
—— ルーシーの日記

　このパンは噛みつかないのでご安心を!　でも、あなたが吸血鬼なら拒否反応を示すでしょう。なんと言っても、中にニンニクが7片も入っているのですから!

作り方

1. 赤いパンを作る。まずスタンドミキサーのボウルにぬるま湯と牛乳を入れ、かき混ぜる。その上にドライイーストを振りかけ、1〜2分後にそっとかき混ぜ、5分休ませる。

2. ボウルにバター、卵、塩、ニンニク、砂糖、食用色素を加える。パドルのアタッチメントを取りつけ、中低速で30秒、バターが粉々になるまで攪拌する。中速にし、小麦粉を数回に分けて入れ、混ぜ合わせる。

3. 打ち粉をした台に生地をのせ、軟らかく、なめらかで、ほとんどべたつきがなくなるまでこねる。生地がべたつくようなら、そのたび台に打ち粉をして、こねる。

4. 大きめのボウルにオイルをスプレーし、生地を中に入れ、ひっくり返して全体に油をまとわせる。ボウルに清潔な布巾をかぶせ、生地が倍の大きさに膨らむまで1時間休ませる。

5. 黒い生地も手順1〜4を繰り返す。

6. 2枚の天板にシリコンマットかクッキングシートを敷く。赤い生地をガス抜きし、15等分(1個につき約23g)し、それぞれ球状にまとめてから、約13cmの長さの円柱状に成形する。

7. 黒い生地も同様に成形し、赤い円柱と黒い円柱を並べ、ペアを15個作る。＊

＊赤と黒の生地の準備と発酵の時間を合わせる。赤い生地を分割して成形するまでに、黒い生地はガス抜きの段階まで来ているようにする。

8. 1つのペアを手に取り、そっとひねる。生地を5〜8cmにそっと伸ばして結び目を作る。赤と黒の生地を交差させ、1つの端を輪に差し込む（引っ張らないで、差し込むだけでいい）。もう1つの端は結び目の下にたくし込む。

9. 残りの14ペアも同様にして結び目を作り、天板に等間隔に並べる。布巾をかぶせ、45分休ませる。オーブンを180℃に予熱。

10. 途中で天板の位置や向きを変えながら15分焼く。天板にのせたまま5分休ませる。

11. グレーズを作る。バターとニンニクを耐熱ボウルに入れ、電子レンジで30秒加熱し、バターを溶かす。かき混ぜて、ニンニクが散らばるようにする。ニンニクバターを刷毛でパン生地に塗り、1個につきパルメザンチーズ小さじ¼を振りかける。

焼きたてを友人に食べさせて、吸血鬼から守ってあげよう!

奇怪なムーンパイ

16個分

グラハムクラッカー……16枚
自家製マシュマロ(248ページ参照／直径5cmの円に切り抜いておく)……オーブンで1度に焼ける量
ホワイトアーモンドバーク[溶かしてコーティングするのに用いられるチョコレート]……900g
バター(軟らかくしておく)……180g
粉糖(ふるっておく)……3⅗カップ
バニラ・エキストラクト……小さじ1½
牛乳……大さじ3
ジェル状のアイシング(赤)……市販品*
ジェル状の食用色素(青、紫、黒、黄)

>>> 特別な道具
丸型のクッキー型(口径5cm)

*スーパーマーケットの製菓用品売り場で入手できる。

**材料をむだにしない!……グラハムクラッカーやマシュマロの残りは、アイスクリーム、プディング、ムース、フロステッドブラウニーのトッピングに。

ちょうどそのとき、黒い雲のあいだから昇った月が、松の木におおわれ切り立った岩山の陰から顔をのぞかせた。月明かりで、馬車が一団に取り囲まれているのが見えた。白い牙をむき出して、赤い舌をだらりとたらし、たくましい脚をした毛むくじゃらの狼たちだ。

写真にあるムーンパイは吸血鬼をモチーフにしたものですが、フランケンシュタインでも、狼男でも、ジキル博士とハイド氏でも、自由に発想してオリジナルのパイを作ってみましょう!

作り方

1. 天板にクッキングシートを敷いておく。グラハムクラッカーを半分に折り、口径5cmの丸型のクッキー型で1枚につき1つの円を抜く。マシュマロをグラハムクラッカーの円2枚ではさむ。**

2. ホワイトアーモンドバークの半分をパッケージに書かれている指示どおりに溶かし、大きめのマグカップかガラス製の計量カップに移す。その中にマシュマロをはさんだグラハムサンドイッチをしっかり浸け、フォークで持ち上げ、カップの縁を10秒ほど軽く叩いて、余分なチョコレートを落とす。クッキングシートを敷いた天板に移し、20分休ませる。溶かしたホワイトアーモンドバークが浅すぎてグラハムクラッカーのサンドイッチが浸からないときは、残りの半分を溶かして使う。

3. フロスティングを作る。スタンドミキサーのボウルにバターを入れ、中速でふんわりするまで撹拌する。粉糖1⅛カップをふるい入れ、なめらかになるまで撹拌する。バニラ・エキストラクト、牛乳大さじ1を入れ、混ざり合うまで撹拌する。残りの粉糖と牛乳を交互に入れ、さらに撹拌する。フロスティングを4つのボウルに分けて入れる。2つのボウルに大さじ3、残りの2つのボウルに³⁄₁₀カップ+大さじ1を入れる。フロスティングを大さじ3入れたボウルの1つに青の食用色素を2滴たらしてかき混ぜ、もう1つ

に紫の食用色素を2滴たらして、同じようにかき混ぜる。残りの
2つのボウルのうちの1つに黒の食用色素を3滴、もう1つに黄色
の食用色素を1滴たらしてかき混ぜる。

4. 青と紫のフロスティングを、中くらいのサイズの星形の口金をつ
けた絞り出し袋にそれぞれ入れる。黒と黄色のフロスティングも
それぞれの絞り出し袋に入れ、絵や文字を描くのに適した小さ
いサイズの口金をつける。

5. 4枚のムーンパイの上に青のフロスティングを絞り出し、黄色の
フロスティングで月と星を描く。次の4枚のムーンパイの上に紫
色のフロスティングを絞り出し、黒のフロスティングでコウモリ
を描く。次の4枚のムーンパイの上に黒のフロスティングで
「V」と書き、紫と赤（市販のジェル状アイシングの赤を使う）の点で囲む。
残りの4枚のムーンパイの上に市販のジェル状アイシングの赤
を2滴たらす。爪楊枝を使って噛まれたような跡を作る。

吸血鬼に気づかれないように古城へやってきたお客さまにお出し
しよう！

奇怪なムーンパイ

ある真夜中の
パーティーで

エドガー・アラン・ポー全集&詩集

うとうとしかけたとき、突然、コツコツという音が聞こえた。
誰かがわたしの部屋のドアをそっと叩いているかのような。
「誰かが訪ねてきて、この部屋のドアを叩いている ── 」とわたしはつぶやいた。
──『大鴉』

MENU

● デビルド・レイヴン・エッグ（153ページ）
● 棺形ピザポケット（155ページ）
● 月の満ち欠けフライ（157ページ）
● 赤き死の仮面スケルトンクッキー（159ページ）

ハロウィーン
152

デビルド・レイヴン・エッグ

12個分

卵……6個
ジェル状の食用色素(黒)
アボカド……中1個
レモン汁……小さじ1
生のイタリアンパセリ(細かく刻んでおく)
……小さじ1
クミン……小さじ¼
ガーリックパウダー……小さじ¼
塩……小さじ¼
コショウ……小さじ¼

大鴉は「二度とない」と言った。──『大鴉』

　賢く黒い小さな悪魔、カラスの卵の蜘蛛の巣のようなひび割れ模様は、台湾の茶葉蛋というマーブル模様の煮卵のテクニックを利用しました。詰め物の鮮やかなグリーンはアボカドの果肉です。

作り方

1. 大きめのソースパンに卵を入れる。鍋底から5cm、卵がかぶるくらいの量の冷水を入れ、強火にかける。沸騰したら火から下ろし、蓋をしてそのまま置く。7分たったら湯を捨て、卵の粗熱を取る。

2. 大きめのマグカップ3個に ⅔くらいまで水を入れる。こぼれて汚れないように天板にのせる。それぞれのマグカップに黒の食用色素を3〜4滴たらし、よくかき混ぜる。

3. 粗熱が取れたら卵をカウンターで軽く叩き、回転させながら全体に細かいひびが入るようにする。殻がはずれない程度に。

4. 3を2のマグカップに2個ずつ入れる。冷蔵庫で7〜12時間冷やす。

5. マグカップから卵を取り出し、ペーパータオルで拭く。そっと殻をはずすと、蜘蛛の巣の模様が入った卵が現れる。色は黒よりも濃い藍色に近い。

6. 卵を縦半分に切り、黄身をボウルに取り出す。白身は盛り皿にのせる (すぐに使わない場合は密閉容器に入れる)。

7. 黄身を残りの材料といっしょに中くらいのボウルに入れ、つぶしてよく混ぜ合わせる。大型の星形の口金をつけた絞り出し袋に移す。

8. 白身の中に絞り出し、すぐに出さない場合は、きっちりラップをして冷蔵庫に入れる。

ある物寂しい真夜中に出してみては?

Trick or Treat

棺形ピザポケット
（ひつぎ）

9個分

市販の缶入りピザ生地……1缶（約390g）
天日干しトマト・ペストソース（253ページ参照）……大さじ4½
（サンドライ）
フレッシュ・モッツァレラチーズ……約70g
バジルの葉……中9枚
卵液（卵1個に大さじ1の水を加えて溶いておく）……1個分
ガーリックパウダー……小さじ¼
オニオンパウダー……小さじ¼
塩……小さじ¼

>>> 特別な道具
棺形のクッキー型（約5×9cm）

棺の内側は暖かく柔らかい布張りにして、納骨堂の扉の原理にもとづいて作らせた蓋をつけた。バネを仕掛け、ほんのわずかな体の動きでも蓋がはずれるようにした。 ―― 『早すぎた埋葬』

　ここで紹介しているレシピはマルゲリータ・ピザポケットですが、詰め物をペパロニ、バーベキューチキン、ピーマンなどお好きなものに替えてかまいません。トッピングもご自由に。

作り方

1. オーブンを190℃に予熱。軽く打ち粉をした台にピザ生地をのせ、約25×36cmの長方形に伸ばす。棺形のクッキー型で18枚抜く。

2. そのうちの9枚を油を塗っていない天板に等間隔に並べる。ペストソース大さじ½を棺に5mmの余白を残して塗る。その上にバジルの葉をのせる。

3. モッツァレラチーズを1cm幅にスライスする。それを約1×5cmの板状にカットしたものを9枚作る。1枚ずつバジルの葉の上に置く。

4. 棺の余白部分に卵液を塗り、残りの棺をのせる。端をフォークで押さえるようにして閉じ、表面に卵液を塗る。ガーリックパウダー、オニオンパウダー、塩をまぶす。

5. ピザ生地の余りをナイフで細長く切って十字架を作り、棺にのせる。

6. 表面がきつね色になり、十字架に焼き色がつきはじめるまで15分焼く。金属製のヘラで天板からケーキクーラーに移し、5〜10分軽く冷ます。

怖い話を読みながら焼きたてのピザポケットをどうぞ！

月の満ち欠けフライ

フライ35個、ケチャップ⅗カップ分

>>>ケチャップ
市販のケチャップ……⅗カップ
タイ風スイートチリソース……大さじ2
ライム汁……小さじ3

>>>フライ
ジャガイモ（アンデスレッド）……3個
オリーブオイル……大さじ1
お好みのステーキ用調味料……小さじ
1¾
生のパセリ（細かく刻んでおく）……大さじ1

>>>特別な道具
丸型のクッキー型（口径6cm）

突然、道に強烈な光が射した。異様なまでにぎらついた光に、わたしは思わず振り向いた……。沈んでいく満月が血のように赤い光を放っている。かつては凝らさなければわからない程度だった［屋敷の屋根から地面までジグザグに走っている］裂け目を通して光が射し込んでいるのだ。 —— 『アッシャー家の崩壊』

楕円形ではなく丸い形のジャガイモを使うと、フライが月らしく見えます。

作り方

1. ケチャップを作る。小さめのボウルにケチャップのすべての材料を入れ、かき混ぜておく。

2. フライを作る。オーブンを200℃に予熱。よく洗って乾かしたジャガイモを5mmの厚さにスライスする。端の小さい部分は使わない（ジャガイモ1個につき、7枚分取れる）。

3. 1個目のジャガイモのスライスはそのまま使う（満月）。2個目のスライスは半分に切って半月にする。3個目のジャガイモのスライスは口径6cmのクッキー型を中心から少し左または右に寄せ、満ちていく凸月 [十三夜月／半月と満月のあいだの月] と三日月にする。半月はほかの月の倍の数になる。半月を4枚だけにして、残りをほかの月にしてもいい。

4. 中くらいのボウルに3とオリーブオイルを入れ、軽くあえて油をまとわせる。

5. 油を塗った天板に満月とギバウスムーンを置く。裏と表両面にステーキ用調味料とパセリを振りかける。ジャガイモが軟らかくなり、フォークを刺してすっと通るようになるまで10分焼く。

6. 半月と三日月も同様にして焼く。

7. 盛り皿に移して、ケチャップを添える。

物寂しい真夜中に！

赤き死の仮面スケルトンクッキー

12〜18枚分

>>> クッキー
小麦粉……1½カップ
無糖ココアパウダー……¾カップ
ベーキングパウダー……小さじ½
塩……小さじ¼
バター……120g
植物性ショートニング……大さじ2
砂糖……¾カップ
卵……1個
牛乳……大さじ2
バニラ・エキストラクト……小さじ2
ジェル状の食用色素(赤)……小さじ1½

>>> フロスティング
バター……60g
クリームチーズ(軟らかくしておく)…110g
粉糖……1⅕カップ
バニラ・エキストラクト……小さじ¾

>>> 特別な道具
ジンジャーブレッド・マンのクッキー型
(9cm)

そして、暗闇と腐敗と赤死病が無限に広がる公国を支配した。
——『赤き死の仮面』

　ジンジャーブレッド・マンの出番はクリスマスだけとはかぎりません！ 味付けとアイシングのデコレーションを変えれば、オールシーズン使えます。可愛らしい骸骨(スケルトン)はレッドベルベットクッキーで、フロスティングはクリームチーズです。

作り方

1. クッキーを作る。中くらいのボウルに塩と粉類の材料をすべて入れ、かき混ぜておく。

2. スタンドミキサーのボウルにバター、植物性ショートニング、砂糖を入れ、中速で攪拌し、混ぜ合わせる。卵、牛乳、バニラ・エキストラクト、食用色素を加えて攪拌し、必要ならば、ミキサーを止めてボウルの側面についた生地をゴムベラですくい取って、生地になじませる。

3. 低速で1を数回に分けて加え、よく混ざり合うまで徐々にスピードを上げていく。

4. 生地を2等分して、直径10cmの円盤状に伸ばす。ラップで包み、生地が扱いやすい硬さになるまで冷蔵庫で1〜2時間休ませる。そのあいだにオーブンを160℃に予熱。

5. 1枚目の円盤状の生地の上下にクッキングシートを敷き、5mm程度の厚さに伸ばす。ジンジャーブレッド・マンを6枚抜き、油を塗っていない天板に移す。

6. 端と中央が固まるまで13分焼く。オーブンから取り出し、天板にのせたまま3分冷ます。金属製のヘラかフライ返しでケーキクーラーに移し、冷ます。もう1枚の生地も同様にしてジンジャーブレッド・マンを6枚抜き、焼く。余り生地を伸ばして、ジンジャーブレッド・マンを余分に抜いてもいい。

7. フロスティングを作る。大きめのボウルにバターとクリームチーズを入れ、ハンドミキサーの中速で攪拌する。粉糖1⅓カップをふるい入れ、よく混ぜ合わせる。バニラ・エキストラクトを加え、攪拌する。残りの粉糖をふるい入れ、攪拌する。生地がゆるいようなら、粉糖を追加する。

8. 中くらいのサイズの丸口金をつけた絞り出し袋にフロスティングを入れ、クッキーに骸骨を描く。

9. 出す前に1時間ほど冷蔵庫で冷やす。

赤死病除けにこのクッキーを！

ハロウィーン

フルーツカード(248ページ)

探偵のための軽食

〈シャーロック・ホームズ〉

アーサー・コナン・ドイル著

シャーロック・ホームズは予想どおり、ガウン姿で居間をうろうろしていた……
朝食前にパイプを吸い……。いつものように穏やかにわたしたちを迎え入れると、
ベーコンエッグを持ってこさせ、いっしょに栄養のある朝食をとった。

——『技師の親指』

ブラッドオレンジ・スコーン

8個分

小麦粉……2⅔カップ

砂糖……¾カップ

砂糖(飾りつけ用)……小さじ¾

ベーキングパウダー……小さじ2

重曹……小さじ½

塩……小さじ½

冷やしたバター(大さじ1くらいずつ切り分けておく)……90g

オレンジの皮(手に入るのであれば、ブラッドオレンジの皮)……大さじ1

卵(軽く溶いておく)……1個分

ブラッドオレンジ・ビターズ[ブラッドオレンジの皮などをアルコールに漬け込んだもので、苦みが強く、カクテルの香りづけなどに使われる]……³⁄₁₀カップ(60ml)

ハーフ・アンド・ハーフ[牛乳とクリームを5:5で混ぜたもの]……³⁄₁₀カップ(60ml)

牛乳(艶出し用)……大さじ1

＊ブラッドオレンジは12月～5月までが旬。

急いで〔封筒を〕を開けると、乾燥したオレンジの種が5つ飛び出してきて、皿の上にぱらぱらと落ちた。
―― 『五つのオレンジの種』

　シャーロック・ホームズの難事件の1つ、『五つのオレンジの種』にインスパイアされ、伝統的なイギリスのスコーンをわたしなりに再解釈して作りました。厄介な事件のことも忘れさせてくれるとびきりおいしい柑橘系のスコーンです。外側は甘くてカリカリ、中はオレンジの香りのするふんわり優しい生地。このレシピではジュースの代わりに、ブラッドオレンジ・ビターズを使っています。つまり、ブラッドオレンジが手に入らないシーズンにも作れるということです！＊

作り方

1. オーブンを220℃に予熱。天板にクッキングシートを敷く。

2. 大きめのボウルに小麦粉、砂糖、ベーキングパウダー、重曹、塩を入れ、泡だて器で混ぜる。フォークまたはペストリー・ブレンダーでバターを細かく切りながら粉に混ぜ込み、バターが豆粒くらいの大きさになり、そぼろ状になったらOK。オレンジの皮を入れて混ぜ、生地の中央をくぼませる。

3. くぼみに溶き卵を入れ、ブラッドオレンジ・ビターズとハーフ・アンド・ハーフを混ぜたものを注ぐ。フォークでよく混ぜ合わせる。生地は多少べたついていてもOK(スコーンの焼きあがりが硬くなってしまうので、こねすぎないように注意する)。

4. 両手で生地を丸め、ボウルの底に生地が残っていたら、くっつける。天板にのせ、直径19～20cm大の円盤状に伸ばす。よく切れるナイフで生地に三角の切れ目を入れる(焼いたあとにも線が残るように、生地の厚みの半分くらいまで。完全には切り離さない)。最初から切り離して焼くよりもスコーンの水分を保てる。

5. 生地の上に刷毛で牛乳を塗り、飾りつけ用の砂糖を振りかける。

6. 15〜20分、中心部にまで完全に火が入り、表面がこんがりきつ
   ね色になるまで焼く。表面には先に火が入るので、早めに焼き
   色がついてきても、焦げることはないので大丈夫。中心部に注
   意し、生焼けなら、オーブンに入れたままにしておく。中央に
   完全に火が入ったように見えたら、取り出す。

7. 天板にのせたまま5分冷まし、刻み目に沿って切り分ける。

クロテッド・クリームとジャムを添え、難事件に挑む名探偵に！

ハロウィーン

ロースト・トマト・デビルド・スコッチエッグ

12個分

卵……7個(分けて使用)
塩……小さじ2¼(分けて使用)
チェリートマト……1⅕カップ
オリーブオイル……大さじ1
パン粉……⅞カップ
細引きブレックファストソーセージ……
約340g
コショウ……小さじ½(分けて使用)
植物油……7⅓カップ
マヨネーズ……大さじ2
スモークパプリカパウダー……小さじ¼
青ネギ……1本

>>> 特別な道具
キャンディ用温度計

ホームズはいつになく上機嫌で快活だった。「ワトスン君、4つ目の卵を平らげたら、すべての状況について話してあげよう」
――『恐怖の谷』

ベーコンを細かく刻んだものをのせてもおいしいです――デビルド・スコッチエッグ1つでイングリッシュブレックファストになります!

作り方

1. 卵6個と塩小さじ1を中くらいの鍋に入れる。卵がかぶるくらいの冷水を注ぎ、強火にかける。沸騰したら火から下ろし、蓋をして6分置く。湯を捨て、粗熱を取る。

2. 卵の粗熱が取れたら、オーブンを190℃に予熱。中くらいのボウルにトマト、オリーブオイル、塩小さじ¼を入れ、混ぜ合わせる。天板にトマトを均一に並べ、トマトが裂け、てっぺんに焼き色がつきはじめるまで25分焼く。オーブンから取り出し、ミキサーにかける。トマトがなめらかになったら、大きめのボウルに移しておく(全体の量は約大さじ6くらい)。

3. 1個残しておいた卵を割り、小さめのボウルで溶いておく。別の小さめのボウルにパン粉を入れておく。ソーセージが皮つき(ケーシング)の場合は、はがす。ソーセージを中くらいのボウルに入れ、塩、コショウをして(塩小さじ½、コショウはその半量ほど)、こねる。

4. 中くらいの鍋に植物油を底から5cmの高さまで入れ、中火にかけ、180℃まで加熱する(パン粉を落とし、ジューッと音がするのが目安)。

5. 油を熱しているあいだに、卵を3でできるだけ薄く包む。まず3を6等分し、球状にまとめる。手のひらで球を平らに伸ばし、真ん中に卵を置く。卵を3で隙間ができないようにぴっちり包む。残りの卵も同様にして包む。それを溶いた卵につけ、次に転がすようにしてパン粉をまぶす。

6. 卵を一度に2～3個ずつ油に入れ、衣がこんがりきつね色になる

ハロウィーン

まで3分揚げる。試しに1個の卵の衣に切り込みを入れ、ソーセージに火が通っていればOK。卵を穴開き大型スプーン、またはトングでペーパータオルを敷いた皿に取り出し、5分置く。

7. 残りの卵も同様にして揚げ、10分、または常温になるまで休ませる。

8. 卵を縦半分に切り、黄身をそっと取り出し、トマトの入った大きなボウルに入れる。マヨネーズ、スモークパプリカパウダー、小さじ½の塩、残りのコショウを加え、ハンドミキサーの中速でなめらかになるまで攪拌する。

9. 大きめの丸口金をつけた絞り出し袋に8を入れる。半分に切った卵の上に絞り出す。

10. 青ネギを小口切りにし、それぞれの卵に3つずつのせる。

あなたの大好きなイギリスの探偵に!

シャーロックの
ステーキ・サンドイッチ

サンドイッチ大を2個分
(ティータイムには半分または¼にカットして出す)

>>> **ソース**
サワークリーム……大さじ3
ホースラディッシュソース……大さじ2
コーシャーソルト……1つまみ強
黒コショウ……少々
レモン汁……小さじ¾

>>> **サンドイッチ**
骨なしのステーキ肉(2つに切り分けておく)＊
……約230g
塩、コショウ……お好みで
全粒小麦のパン……4枚
ラディッシュ……4個
ルッコラ……1⅕カップ

＊写真のサンドイッチでは骨なしのチャックアイ・
ステーキ肉を使用。チャックアイは、日本の肩
ロースに当たる。

彼はサイドボードに置かれた牛の骨付き肉から肉をひと切れスライスすると、2枚のパンではさみ、その無骨な食事をポケットに突っ込んで調査の旅に出かけていった。
——『エメラルドの宝冠』

　シャーロック・ホームズは食に関心がないことで知られていますが、コールドビーフ・サンドイッチには目がないようです。捜査で旅をしているときに、サンドイッチをほおばるシーンが何度か登場します。その理由にも納得です。栄養たっぷりのパン、たんぱく質を豊富に含む牛の肋骨周辺の肉、味蕾を目覚めさせるトッピング、サンドイッチ以上に脳を刺激する食事はありません。

作り方

1. 小さめのボウルにソースの材料をすべて入れて混ぜ合わせる。
2. ステーキ肉に塩、コショウで下味をつける。スキレットに少量の油を引き、中火で熱する。スキレットが温まったら、肉を両面に色がつくまで2分焼く。トングで短いほうの端を10秒押さえ、肉汁を閉じ込める。ステーキを皿に取り出し、休ませる。
3. パンをトーストする。ラディッシュを厚さ5mmほどの薄切りにする。
4. パンにソースを塗り、ルッコラ(肉の水分がパンに移るのを防ぐため)、ラディッシュの薄切りをのせる。ステーキを幅1cmほどに切り、半量をラディッシュの上にのせる。その上に残りのラディッシュ、さらにルッコラをのせる。パンにソースを塗り、上にかぶせる。
5. 4を繰り返し、もう1つサンドイッチを作る。
6. 半分、または¼に切り分ける。

サンドイッチを持って、事件を解決しに行こう!

ロンドンの霧ミステリー・クッキー

10個分

>>> **クッキー**
小麦粉……2⅖カップ
ベーキングパウダー……小さじ½
塩……小さじ¼
バター（軟らかくしておく）……120g+30g
砂糖……¾カップ
卵……1個
牛乳……大さじ2
バニラ・エキストラクト……小さじ2

>>> **フロスティング**
牛乳……大さじ3
アールグレイ……ティーバッグ2個
粉糖……3⅗カップ
バター（軟らかくしておく）……180g
バニラ・エキストラクト……小さじ1½
ジェル状の食用色素（黒）……6滴

>>> **秘密の中身**
小粒のキャンディ……大さじ10（さまざまな種類のもの。できれば、大さじ2ずつ5種類*）

>>> **特別な道具**
丸型のクッキー型（8cmと6cm）

*ミニM&M'sはアールグレイのアイシングといちばん相性がいいが、リーシーズ・ピーセズ［ハーシーズのピーナツバターキャンディ］、ナーズ［アメリカのキャンディの商品名］、トッピング用のカラースプレー、あるいは、フルーティー・ペブルス［シリアルの商品名］、ココア・クリスピー［ケロッグのシリアルの商品名］の小粒のシリアルもお勧め。

9月の夕刻、まだ7時にもなっていなかった。しかし、その日は朝から陰鬱な日で、濃い霧が灰色の街に低くたれ込めていた。
——『恐怖の谷』

　このクッキーは娯楽性もある楽しいデザートです。できるだけたくさんの種類のキャンディを使ってください（ただし、クッキーの中に入るサイズのもの）。フォーチュンクッキーのように、中に「疎遠になっていたおじさんから莫大な財産を譲り受けるでしょう」とか「魅力的な人物が突然目の前に現れ、事件を解決するのに力を貸してほしいと頼まれるでしょう」などと書いた紙を入れておくのもいいでしょう。

作り方

1. クッキーを作る。中くらいのボウルに小麦粉、ベーキングパウダー、塩を入れ、かき混ぜておく。

2. スタンドミキサーのボウルにバターと砂糖を入れ、中速でふんわりするまで攪拌する。必要ならば、ボウルの側面についた材料をゴムベラですくい取ってなじませる。卵、牛乳、バニラ・エキストラクトを加え、攪拌する。

3. ミキサーの速度を低速に落とし、1の粉類を数回に分けて加え、攪拌する。すべて加えたら、徐々に速度を上げ、高速でざっと混ぜ合わせる程度に攪拌する。

4. 生地を2等分して球状にまとめ、直径10cmの円盤状に伸ばす。2枚の生地をきっちりラップで包み、生地が扱いやすい硬さになるまで冷蔵庫で1時間休ませる。

5. オーブンを160℃に予熱。台に打ち粉をし、1枚目の円盤状の生地を約3mmの厚さに伸ばし、直径8cmの円を10枚抜き、油を塗っていない天板に等間隔に並べる。余った生地を直径10cmの円盤状に伸ばす。ラップで包み、冷蔵庫で休ませる。

6. 天板をオーブンに入れ、端に焼き色がつきはじめ、中央が硬くなるまで12分焼く。ヘラまたはフライ返しでそっとケーキクーラーに移し、冷ます（冷める段階でクッキーが天板にくっついてしまうので、すぐに移すこと）。

7. 手順5、6を繰り返し、もう1枚の生地も焼く。

8. 冷蔵庫で休ませていた最初の余り生地を取り出し、円を10枚抜く（必要ならば生地を伸ばし直してから抜く）。天板に移し、6cmの抜き型で円の中央をくりぬき、輪にする。6分焼き、ヘラまたはフライ返しを使ってそっとケーキクーラーに移す。

9. 2枚目の余り生地も手順8を繰り返して同様に焼く。円のクッキーが20枚、輪のクッキーが20枚できる。

10. フロスティングを作る。小さめの密閉容器に牛乳を入れる。ティーバッグから茶葉を取り出し、牛乳の中に入れる（ティーバッグは捨てる）。そっとかき混ぜ、蓋をして冷蔵庫で2時間浸透させる。

11. 小さめのボウルに粉糖をふるい入れておく。バターをスタンドミキサーの高速でなめらかになるまで攪拌する。粉糖1⅛カップを加えて攪拌し、必要ならば、途中でミキサーを止め、ボウルの側面についたものをヘラですくい取り、なじませる。バニラ・エキストラクト、アールグレイと牛乳を混ぜたもの（茶葉も含む）大さじ1を加えて攪拌する。残りの粉糖と牛乳とアールグレイの混合液を交互に入れて攪拌する。

12. 11の全体の量の¼を小さめのボウルに移し、黒のジェル状の食用色素を6滴たらして、かき混ぜておく。

13. 中くらいのサイズの星形の口金をつけた絞り出し袋に残りのフロスティングを入れ、円のクッキー10枚の上に渦巻き模様を描く。

14. 中くらいのサイズの丸口金をつけた絞り出し袋に黒いフロスティングを入れ、渦巻き模様の上に大きな「？」マークを書く。

15. クッキーを組み立てる。デコレーションしていない円のクッキーを底にする。円の上下左右に絞り出し袋に残っているフロスティングを少量絞り出し、上にリング状のクッキーを重ねる。指についたフロスティングは拭き取る。今度はリング状のクッキーの上下左右にフロスティングを絞り出し、もう1枚リングを重ねる。これでポケットができあがる。ポケットの中に小粒のキャンディ大さじ1を詰める。2番目のリングの上にフロスティングを絞り出し、渦巻き模様のデコレーションを施したクッキーをのせる。

16. 残りのクッキーも手順15を繰り返す。

霧におおわれた秋の日、ロンドンのアパートで事件の謎を解いているときに！

色彩鮮やかな祝宴

『オズの魔法使い』

ライマン・フランク・ボーム著

ドロシーはすぐにエメラルド・シティに向かって元気よく歩き出した。
硬い黄色い舗道に銀色の靴の音が陽気に響き、
太陽は明るく輝き、鳥は美しい声で歌っていた。

MENU

エメラルド・シティ・ポップコーン

13⅕カップ

ココナッツオイル……大さじ5（分けて使用）
トウモロコシの粒……⅖カップ
ターメリック……小さじ1½
塩……小さじ½
ピークリスプ［エンドウ豆を使ったスナック菓子］（砕いておく）……9/10カップ
抹茶パウダー（色付け用）……小さじ½（お好みで）
ワサビピー［グリーンピースにワサビのフレーバーをつけた豆菓子］……1⅕カップ

都は美しく光り輝き、ドロシー一行はあまりのまぶしさに最初は目を開けていられなかった。通りには緑色の大理石でできた美しい家が立ち並び、あちこちにきらきら輝くエメラルドがはめ込まれていた。

　エメラルド・シティにインスパイアされたグリーンとイエローのポップコーン。グリーンに染めたトウモロコシの粒とワサビピーがオズの美しい都エメラルド・シティを、黄色のポップコーンはエメラルド・シティへと通じる黄色いレンガの道を表しています。

作り方

1. 小さめのボウルにココナッツオイル大さじ3を入れ、電子レンジで加熱して溶かす。
2. 大きめで深いソースパンに残りのココナッツオイルを入れ、中火にかける。トウモロコシの粒を3粒入れ、少し隙間を空けて蓋をする。3粒すべてがポンとはじけたら、すぐに残りの粒を重ならないようにして入れる。30秒たったら火から下ろす。再び少し隙間を空けて蓋をして中火にかけ、そっと揺する。大半の粒がはじけ、はじける音がするのが5秒に1回程度にまで減ったら火から下ろす。すぐに大きめのボウルに移し、1のココナッツオイル、塩を加えてよく混ぜる。
3. ポップコーン3⅗カップを中くらいのボウルに移し、ターメリックを入れてかき混ぜる。
4. 残りのポップコーンに砕いたピークリスプを加え、混ぜ合わせる。抹茶パウダーを入れて、混ぜ合わせる。ターメリックのポップコーンを大きめのボウルに戻し、ワサビピーを加え、混ぜ合わせる。

悪い魔女を倒したヒーローたちに！

1
The Cyclone

orothy lived in the midst of th

Uncle Henry, who

er's wife,

ハロウィーン

180

風車サイクロン・ピザ

10個分

>>> ピザソース
水……$\frac{3}{10}$カップ（60ml）
トマトペースト……大さじ3
ニンニク（みじん切りにしておく）……1片
バター……約7g
オリーブオイル……大さじ½
赤ワインビネガー……小さじ1
砂糖……小さじ1
オレガノ……小さじ¾
オニオンパウダー……小さじ½
パプリカパウダー……小さじ½
塩　　小さじ¼
コショウ……小さじ⅛

>>> 風車ピザ
冷凍パイシート（解凍しておく）……1枚
ペパロニスライス（さいの目に切っておく）
……$\frac{3}{10}$カップ
シュレッダー・モッツァレラチーズ……
$\frac{9}{10}$カップ
卵（大さじ1の水を加えて溶いておく）……1個分

恐ろしく強い風に家はぐんぐん吹きあげられ、竜巻のてっぺんまで到達した。そのまま風に飛ばされる羽根のように軽々と遠くへ運ばれていった。

　このレシピではペパロニを使用していますが、クランブルソーセージ［そぼろ状にしたソーセージ］、バジルの葉、ハム、パイナップルなど、ピザのトッピングとして使われている具材に替えることができます。ただし、パイシートで巻いてカットできるように具材をさいの目に切ること、風車だとわかるように余計な色を加えないことの2点に注意してください。

作り方

1. オーブンを190℃に予熱。天板に油を塗っておく。

2. ピザソースを作る。小さめのソースパンにソースのすべての材料を入れて混ぜ合わせ、中火にかける。絶えずかき混ぜる。沸騰したら弱火にし、ときどきかき混ぜながら煮込む。5分たったら、火から下ろす。

3. 渦巻きを作る。軽く打ち粉をした台の上でパイシートを25cm四方に伸ばし、2のピザソースを正方形の1辺だけ2.5cmの余白を残して薄く均一に塗る。さいの目に切ったペパロニスライスとチーズを振りかける。余白の部分には振りかけない。

4. 余白の部分に卵液を塗り、余白に向かって生地をきつく巻いていく。巻き終わる直前に余白部分と接する側に卵液を塗る。そのまま巻いていき、上から押してくっつける。

5. 4のロールを約2.5cmの厚さに切り分け、ロールを10個作り、油を塗った天板に並べる。切ったときにロールが少しつぶれてしまったら、そっと押して元の形に戻す。

6. 生地が膨らみ、焼き色がつくまで15〜20分焼く。盛り皿に移す。

オズの国に到着したドロシーに！

溶ける魔女のチップスとワカモレ

チップス50枚、ワカモレ1⅙カップ分

┈┈┈┈┈┈┈┈┈┈┈┈┈┈

⋙チップス
市販のホウレンソウのトルティーヤ……
2枚(直径約25cm)
市販のトマトのトルティーヤ……2枚
(直径約25cm)
オリーブオイル……大さじ2
コーシャーソルト……大さじ½

⋙ワカモレ
アボカド……中2個
ローマトマト(種を取り、さいの目に切っておく)
……1個
レッドオニオン(さいの目に切っておく)……
⅜カップ
パクチー(細かく切っておく)……小さじ2
ニンニク(みじん切りにしておく)……1片
レモン汁……小さじ2
クミンパウダー……小さじ½
コーシャーソルト……小さじ¼

⋙特別な道具
魔女の帽子のクッキー型(6cm)
箒のクッキー型(10cm)

ドロシーは怒りのあまり、そばにあったバケツをつかみ、魔女の頭の上から水をぶちまけた。魔女は全身ずぶ濡れになり……みるみる縮んで、溶けはじめた。「なんてことをしてくれたんだ！溶けちまうじゃないか」と魔女は叫んだ。

　祝祭のテーマに沿ったモチーフをトルティーヤチップスにすると、ソースの味も一段とおいしく感じられます。

作り方

1. オーブンを180℃に予熱。魔女の帽子のクッキー型で、ホウレンソウのトルティーヤから20枚の帽子を抜く。

2. 帽子の表と裏にオリーブオイルを刷毛で薄く塗り、塩を振る。油を塗っていない天板2枚にのせ、6分焼く。途中で天板の向きと位置を変える。ケーキクーラーに移して冷ます。

3. 箒(ほうき)のクッキー型でトマト・トルティーヤから箒を30枚抜く。手順2を繰り返す。箒の生地を5分焼く。

4. ワカモレを作る。アボカドの皮をむいて、種を取り出し、果肉を中くらいのボウルに入れる。残りの材料をすべて入れ、粗くつぶす。

5. ワカモレをボウルによそい、チップスといっしょに盛り皿にのせる。

悪い魔女をやっつけたドロシーとその仲間たちに！

翼の生えたサルのパンプキンブレッド

1個(約25cm)分

グラニュー糖……⅗カップ
パンプキンパイ・スパイス……大さじ1½
バターミルクビスケット生地(缶詰)…3缶
(約450g)
バター……120g
ブラウンシュガー(計量カップにきっちり詰め
て量っておく)……1⅛
パンプキンピューレ(缶詰)……大さじ6
クリームチーズ……約55g
粉糖……1⅛カップ
牛乳……大さじ1

かかしとブリキのきこりも、サルたちから受けたひどい仕打ちを思い出して最初は怯えていたが、今度は危害を加えられる心配はないとわかると、空を飛ぶのを楽しんだ。

　このデザートは簡単に作れるので、人数の多い集まりに向いています。秋にはカボチャを味わいたいという欲求も満たしてくれます。秘密は味のダブルパンチ。糖衣にパンプキンパイ・スパイス、グレーズにパンプキンピューレを使っています！

作り方

1. オーブンを180℃に予熱。約25cmのシフォン型の内側にオイルをスプレーしておく。大きめのボウルにグラニュー糖とパンプキンパイ・スパイスを入れ、かき混ぜておく。

2. 缶の1つを開けてビスケット生地を出し、それぞれを半分に切り、球状にまとめる。1のボウルに、球状にした生地を入れ、転がしてよく砂糖類をまぶし、シフォン型に入れる。残りの缶入り生地も手順2を繰り返す。

3. 表面が硬くなり、こんがりきつね色になるまで40分焼く。型に入れたまま10分休ませる。

4. グレーズを作る。小さめのソースパンにバター、ブラウンシュガー、パンプキンピューレを入れ、中火にかけてなめらかになるまでかき混ぜる。沸騰させ、1分かき混ぜ、火から下ろす。

5. シフォン型とパンのあいだにナイフを差し入れてゆるめ、さかさまにして盛り皿にのせる。刷毛でグレーズを塗る。

6. 中くらいのボウルにクリームチーズを入れ、ハンドミキサーの中速でふんわりするまで撹拌する。粉糖をふるい入れ、次に牛乳を入れ、そのたび撹拌してよく混ぜ合わせる。それを口径約5mmの丸口金をつけた絞り出し袋に入れ、ブレッドの上に絞り出す。おおいをして、出す直前まで冷蔵庫で冷やす。

悪い魔女からの解放を祝って翼の生えたサルたちに！

ほとんどの祝祭日が今現在に焦点が当てられているのに対し、大晦日はひたすら未来にだけ目を向けられているのが特徴です。毎年暮れも押し迫ってくると、改善の余地がある点がいやでも目につき、来年こそは成長したいと思うようになるのです。

　登場人物の成長は物語の重要な要素になっています。ほとんどの登場人物は、『不思議の国のアリス』のアリスのように、文字どおりの意味で成長するわけではありませんが、『オペラ座の怪人』のエリックがクリスティーヌを解放したのも、『雪の女王』のゲルダがカイを助けたのも、人間的に成長したからです。心を閉ざし、成長するのを拒んだ登場人物──雪の女王自身──は、破滅する運命にあるのが普通です。

　しかし、過去の教訓も忘れてはいけません。この1年はあなたにとって輝かしい年ではなかったかもしれませんが、経験することでしか得られないものもあります。

　ですから、今年の大晦日はこれから紹介する「わたしを食べてケーキ」を食べ、「わたしを飲んでパンチ」を飲みながら、来年は今年よりいい年にしよう、これまでと違う年にしようと決意するのです──この日1日だけは自分を褒めてあげましょう。いやな過去を忘れ、心を開いて新たな経験をしてみるのも重要です。あなたは充分に成長していることを忘れないでください。

マッド・ニューイヤー・パーティー

『不思議の国のアリス』

ルイス・キャロル著

家の前の木陰にテーブルが出され、
三月ウサギと帽子屋がお茶を飲んでいました……。
「席はないよ！　席はないよ！」アリスがやってくるのを見て、ふたりは叫びました。
「こんなに空いてるじゃないの！」アリスはむっとして言い、
テーブルの端にある大きな肘掛け椅子に座りました。

MENU

トランプ形チーズ

16個分

赤パプリカ……2個（1個約190g）
ナス……1個（約680g）
オリーブオイル……大さじ1
塩……小さじ½
コショウ……小さじ¼
フェタチーズのかたまり……1個（約230g）
フレッシュ・モッツァレラチーズ（円柱状のもの）……1個（約450g）
生のローズマリーの小枝……8本（長さ約4cm）
生のタイムの小枝……8本（長さ約4cm）

>>>特別な道具
ダイヤ、ハート、スペード、クラブの形のクッキー型（約5cm）

最初に棍棒（クラブ）を持った兵士が10人やってきました……。細長く平べったい体の四隅から手と脚が出ています。次に10人の廷臣たち。全身ダイヤモンドで飾りたてています……。そのあとから王家の子どもたちが10人……全員がハートの飾りを身につけています。そして招待客、ほとんどが王様と女王様でした。

　このチーズと野菜の前菜は簡単に作れるので、大晦日、マッド・ティー・パーティー、誕生日（アンバースデー）じゃないパーティーにどうぞ。

作り方

1. オーブンを190℃に予熱。赤パプリカのへたの部分を切り落とし、真ん中にある種とわたを取り除く。縦半分に切り、平らになるよう両端を切り落とす。皮の側を下にしてまな板にのせ、クッキー型で半分からダイヤ4枚、もう半分からハートを4枚抜く。大きめのボウルに移す。もう1個も同様にする。

2. ナスのへたを切り落とす。縦半分に切り、種がある部分を取る。平らになるように横を切り落とす。クッキー型でスペードとクラブを8枚ずつ抜く。ダイヤとハートの入った大きめのボウルに移す（合計で32枚になる）。

3. ボウルにオリーブオイル、塩、コショウを加え、そっとかき混ぜる。

4. ダイヤ、ハート、スペード、クラブの形に抜いたパプリカとナスを皮の面を上にして軽く油を塗った天板に重ならないように並べる。オーブンに入れ15分焼く。

5. 待っているあいだに、クッキー型を洗って乾かす。フェタチーズのかたまりを半分に切り、それぞれを約5mmの厚さの板状に切る（最初に半分に切ることで、板状にスライスしたときに崩れない）。スペードとクラブを4枚ずつ抜く。必要ならば、抜き型からはずすときに崩れないように、爪楊枝を使ってはずす。モッツァレラチーズを5mmの厚さにスライスし、ダイヤとハートを4枚ずつ抜く。

6. 金属製のヘラかフライ返しで、抜いたものをまな板に移す。

7. スペードとクラブの形に抜いたフェタチーズを同じ形に抜いたナスではさみ、ダイヤとハートの形に抜いたモッツァレラチーズを同じ形に抜いた赤パプリカではさむ。その真ん中に爪楊枝で穴を開ける。

8. ローズマリーの小枝からいちばん上の葉だけを残してすべての葉を取り去る（穴に挿したときにいちばん上の葉が見えるようになる）。ローズマリーの小枝をそれぞれのナスの穴に挿し、パプリカの穴にタイムの小枝を挿す。

白いバラの花を赤く塗り直して、お疲れのハートの女王の庭師たちに！

MEMO よく切れないクッキー型で野菜をきれいに抜くのは難しい。そんなときは、野菜をまな板にのせ、その上にクッキー型を置き、肉叩きの平らな面でそっと叩く。その際は型を真上からまっすぐに叩くこと。角度が曲がっていると、型が曲がってしまう。この方法は、クッキー型が肉叩きの平らな面と同じ大きさのときにかぎられる。

MEMO 残った野菜の切れ端はオリーブオイル、塩、コショウ、ローズマリーの残りで味付けし、ローストしてチーズの切れ端といっしょにおつまみに、またはサイドディッシュとして出したり、冬の温かいサラダの具にしてもいい。

ハートの女王のトマトタルト

約15×36cmのタルト型1個分

>>>**タルト生地**
小麦粉……1⅕カップ
塩……小さじ¾
生のバジルの葉……中15枚
バター(冷やして角切りにしておく)……105g
冷水……大さじ7

>>>**詰め物**
そぼろ状のヤギのチーズ……340g
リコッタチーズ……1⅕カップ
卵……1個
ニンニク(みじん切りにしておく)……3片
青ネギ(小口切りにしておく)……¾₁₀カップ
塩……小さじ1
コショウ……小さじ¼
つるのついたチェリートマト……340g
オリーブオイル

>>>**特別な道具**
約15×36cmの長方形の底が抜けるタルト型

法廷の真ん中にテーブルが置かれ、その上にタルトを盛った大皿がありました。とてもおいしそうで、アリスは見ただけでひどくおなかがすいてきました ── 「早く裁判が終わって、あのお菓子を配ってくれたらいいのになあ!」とアリスは思いました。

　ハートの女王のタルトを再現するときはいつも甘いお菓子になってしまうので、詰め物をトマトとチーズにして、セイヴォリー [前菜やデザートとして出される甘くない、塩気のある料理] にしてみました。値段は高いですが、つるがついたままのチェリートマトを使うことを強くお勧めします。見た目のインパクトがあり、摘み取ってからパック詰めされたものに比べて断然甘いです。

作り方

1. タルト生地を作る。大きめのボウルに小麦粉と塩を入れてかき混ぜておく。

2. バジルの葉を重ね、縦にきつく巻いてから横に細く切り、それをさらに細かく切る。1のボウルに加え、よく混ぜ合わせる。

3. 角切りにしたバターを指かフォークで粉類に混ぜ込む。バターが豆粒大になり、生地がパンくずのような手触りになればOK。大さじ7の冷水を大さじ1ずつ加え、フォークで生地がまとまり、べたつきがなくなるまでかき混ぜる。生地を球状にまとめ、平らに伸ばし、約9×13cmの長方形に成形する。ラップで包み、冷蔵庫で最低1時間、生地が扱いやすい硬さになるまで冷やす。

4. オーブンを190℃に予熱。打ち粉をした台に生地をのせ、約20×46cmの長方形に伸ばす。約15×36cmのタルト型にのせ、はみ出した生地を切り取っておく。

5. 詰め物を作る。中くらいのボウルにヤギのチーズ、リコッタチーズ、卵、ニンニク、青ネギ、塩、コショウを入れ、かき混ぜる。それをタルト型の底にまんべんなく敷き詰める。

6. その上につるがついたままのトマトをのせ、オリーブオイルを刷毛で薄く塗る。つるもオイルでコーティングするのを忘れないように。

7. トマトの表面にうっすらと焼き色がつき、しわが寄ってくるまで、1時間焼く。15分冷ましてからタルト型からはずす。切り分けて出す直前につるを取り除く。

ハートの女王に……でも、ジャックに盗まれないように気をつけて!

ハートの女王のトマトタルト

ハーブで味付けした
マッシュルーム・パフ

6個分

貝形の冷凍パイシート(解凍しておく)……
1箱(6個入り)

卵白……1個分

マッシュルーム……中7個

ヴィダリアオニオン[タマネギの甘みの強い品
種]……½個

ニンニク……1片

オリーブオイル……大さじ1

生のバジルの葉(糸のように細長く切っておく)
……小さじ1

缶入りの即席クリームマッシュルーム
スープ……大さじ5〜6

コーシャーソルト……小さじ½

生の黒コショウ……小さじ¼

飾り用のバジルの小枝(お好みで)

しばらくして、アリスは手にまだキノコのかけらを持ったままなのを思い出し、慎重にこっちをかじったりあっちをかじったりしながら、大きくなったり、小さくなったりを繰り返して、ようやくいつもの背丈に戻ることができました。

ヴィダリアオニオン、ニンニク、生のバジルで味付けし、地味な存在のキノコをエレガントなマッシュルーム・パフに仕上げました。

作り方

1. オーブンを220℃に予熱。天板にクッキングシートを敷く。解凍した貝形のパイ生地を1個ずつシートの上に等間隔に並べる。

2. 小さめのボウルで、卵白に大さじ1の水を加えて溶き、卵液を作る。パイ生地の上面に塗り、生地が膨らみ、表面がこんがりきつね色になるまで、15〜18分焼く。

3. そのあいだに、マッシュルームを薄くスライスする。ヴィダリアオニオンの皮をむいてさいの目に切り、ニンニクをみじん切りにする。小さめのスキレットにオリーブオイルを引き、弱めの中火で熱する。マッシュルーム、ヴィダリアオニオン、ニンニクを入れ、タマネギが透きとおるまでときどきかき混ぜながら炒める。バジル、スープ、塩、コショウを加えてかき混ぜ、火から下ろす。

4. パイが焼きあがったら、天板にのせたまま5分冷まし、よく切れるナイフで中央を丸く切り取る。底まで切り抜いてしまわないように注意する。上の数層分だけを取り出す。

5. パイ1個につき、詰め物をスプーン山盛りで2〜3杯詰める。お好みで、上にバジルの小枝を飾る。

不思議の国を再び訪れたアリスに!

わたしを食べてケーキ

カップケーキ12個分

>>>レッドベルベットカップケーキ
小麦粉……³⁄₅カップ+大さじ2
ココアパウダー……³⁄₁₀カップ+大さじ2
ベーキングパウダー……小さじ½
重曹……小さじ¼
塩……小さじ¼
バター(軟らかくしておく)……60g
砂糖……⁹⁄₁₀カップ
バニラ・エキストラクト……小さじ1
卵(常温に戻しておく)……2個
サワークリーム……大さじ2½
蒸留ホワイトビネガー……小さじ¾
ジェル状の食用色素(赤)……小さじ2½
バターミルク……³⁄₅カップ
カラースプレー(ゴールド)……大さじ3
カラースプレー(ホワイト)……大さじ3

>>>クリームチーズのフロスティング
クリームチーズ(軟らかくしておく)……110g
粉糖……3³⁄₅カップ(分けて使用)
バニラ・エキストラクト……小さじ1
牛乳……大さじ1
ジェル状の食用色素(赤)……8〜10滴
ほど

>>>バタークリームのフロスティング
バター(軟らかくしておく)……60g
粉糖……1¹⁄₅カップ(分けて使用)
牛乳……大さじ1
ジェル状の食用色素(黒)……7滴

>>>デコレーション用
ミラノクッキー……4枚
オレオ……4枚
食用の着色スプレー(ゴールド)

>>>特別な道具
メロンボーラー

テーブルの下に小さなガラスの箱があるのが目に入りました。開けてみると、とても小さなケーキが入っていて、「わたしを食べて」と、干しブドウできれいに書かれていました。

ゴールドとホワイトのカラースプレーが詰まったレッドベルベットカップケーキに、赤と白、2色のクリームチーズで作ったフロスティングのバラの花をトッピングしました。「わたしを食べて」と言わずして、なんと言えばいいのでしょう。

作り方

1. レッドベルベットカップケーキを作る。オーブンを180℃に予熱。カップケーキの型に敷き紙を敷いておく。中くらいのボウルに砂糖を除く、粉類の材料をすべて入れ、かき混ぜておく。

2. 大きめのボウルにバターを入れ、ハンドミキサーの中速でクリーム状になるまで撹拌する。砂糖とバニラ・エキストラクトを加え、撹拌する。卵を1個ずつ加え、撹拌。サワークリームとホワイトビネガーを加え、撹拌する。赤の食用色素を加え、撹拌する。最後に粉類とバターミルクを交互に入れて、さらに撹拌する。

3. 敷き紙を敷いたカップケーキの型に2を同量ずつ入れ、15〜18分焼く。生地を指で押して戻ってくればOK。ケーキクーラーに移して冷ます。

4. 冷めたら、メロンボーラーを使ってカップケーキの中央から大さじ½のケーキをすくい取る。ゴールドとホワイトのカラースプレーを混ぜて穴に詰める。

5. クリームチーズのフロスティングを作る。中くらいのボウルにクリームチーズを入れ、ハンドミキサーの中速でふんわりするまで撹拌する。粉糖1¹⁄₅カップをふるい入れ、撹拌。バニラ・エキストラクト、牛乳を加えて撹拌する。残りの粉糖をふるい入れ、撹拌する。

6. 大きな星形の口金をつけた絞り出し袋にフロスティングをスプーンに山盛り1杯入れる。赤のジェル状の食用色素を2滴加える。フロスティングをスプーンに山盛り2杯加え、食用色素をさらに2滴加える。絞り出し袋がいっぱいになるまで、フロスティングと食用色素を交互に入れるのを繰り返す。袋の色が見えている箇所を3〜4箇所押して、色が均一に広がるようにする（押しすぎると、色がぼやけてしまう）。カップケーキの中央から外に向かってらせん状にバラの花を絞り出す。

7. バタークリームのフロスティングを作る。中くらいのボウルにバターを入れ、ハンドミキサーの中速でなめらかになるまで撹拌する。粉糖⅗カップをふるい入れ、撹拌する。牛乳と黒のジェル状の食用色素を加え、撹拌する。残りの粉糖をふるい入れ、撹拌する。小さめの丸口金（文字や絵を描くのに適したもの）をつけた絞り出し袋に移しておく。

8. デコレーションの準備をする。大きく切ったクッキングシートの上にミラノクッキーを並べ、食用の着色スプレーでコーティングし、乾かす。黒のフロスティングを使って、それぞれのクッキーに「わたしを食べて（Eat Me）」と絞り出す。クッキーをカップケーキの上にのせる。

9. よく切れる小型のナイフでオレオの片側のクッキーだけをはずし、一方のみにクリームがついている状態にする（ナイフを使うことで円形のクリームが崩れるのを防ぐ）。何もついていないクッキーの表面（クリームがついていない側）に着色スプレーを噴射する。側面もスプレーするのを忘れないように。円形のクリームをゴールドに染めたクッキーにナイフでそっと移す。

10. 黒のフロスティングで円形のクリームの上に時計の文字盤を絞り出す。写真にあるように、12時、3時、6時、9時の位置にロ

ーマ数字を絞り、真ん中に黒い点を打つ。残りのオレオもすべて時計の文字盤に仕上げる。

11. ラップをして、出す前に1時間冷蔵庫で冷やす。＊

＊クリームチーズのフロスティングを使ったケーキは必ず冷蔵庫で保存する。とはいえ、いちばんおいしいのは常温のとき。時間に余裕があれば、食べる1時間前に冷蔵庫から出しておく。

このカップケーキを出して、不思議の国の市民に新年を知らせよう！

MEMO 調理は数日に分けて行ってもいい。フロスティングをかけたカップケーキは2日前から作っておくことが可能（おおいをして、冷蔵庫で保存）。ミラノクッキーとオレオは1日前にデコレーションすることができる。おおいをして室内に置いておき、出す日にカップケーキにのせる。

わたしを食べてケーキ

新年の仮面舞踏会

『オペラ座の怪人』

ガストン・ルルー著

ディナーはかなりにぎやかだった……。客の何人かははっと何かに気づき、
そちらに注意を向ける。テーブルの端に、目が落ちくぼみ、
顔が異様に青白い不気味な男が座っていたのだ。
劇場のウォーミングアップスペースに現れたとき、
バレリーナのジャムが「オペラ座の怪人だわ!」と叫んだという、あの男が。

MENU

- 馬に乗った悪魔 ── デーツのベーコン巻き（205ページ）
  （デビルズ・オン・ホースバック）
- 怪人の美味なるアップルローズ・タルトレット（207ページ）
- セイヴォリー・ストロベリー・エクレア（209ページ）
- チョコレート・ストロベリー・オペラケーキ（213ページ）

馬に乗った悪魔——
デーツのベーコン巻き

<ruby>デビルズ・オン・ホースバック</ruby>

18個分

ベーコンスライス（厚切りではなく、通常の厚さのもの）……12枚

マジョール・デーツ＊……1パック（約18個入り340g）

＊種ありのデーツを使用するのは、種を取り除いても、種抜きのデーツより大きいから。

わたしは彼がマザンダランの宮殿をどう変えたか知っている。いたって普通の建物をあっという間に悪魔の館に変えてしまった。ひとこと言葉を発すれば、それが反響して盗み聞きできるようにした。怪物の作った仕掛けによって、ありとあらゆるおぞましい悲劇が引き起こされた。 —— ペルシア人の手記

「デビルズ・オン・ホースバック」はデーツのベーコン巻きとも言われる、人気のあるオードブルです。見た目はとてもエレガントなのに、作り方はいたって簡単。甘じょっぱい味はみんなの心をとらえるでしょう——もちろん、怪人の心も！

作り方

1. オーブンを180℃に予熱。天板にアルミホイルを敷く。デーツの脇に切り込みを入れ、ナイフの先端で種を取り出す（形が崩れてもOK）。

2. ベーコンスライスを横に3等分に切る。デーツに切ったベーコンを巻きつけ、つなぎ目を上にする。その上からさらにベーコンを巻きつけ、今度はつなぎ目を下にする。

3. 2を天板に並べ、ベーコンがカリカリになるまで焼く。オーブンから出し、粗熱を取る。

温かいうちに、パリ、オペラ座の地下に住むミステリアスな住人に！

怪人の美味なる
アップルローズ・タルトレット

12個分

パイ生地(107ページ、カブとジャガイモとビーツ
の果てしなく深いパイの作り方を参照)……107
ページの2倍の分量
ヴィダリアオニオン……½個
オリーブオイル……大さじ1
塩……小さじ½
砂糖……小さじ¼
ゴーダチーズ……約70g
リンゴ(ガラまたはふじ)*……2～3個
レモン汁

>>> 特別な道具
野菜用スライサー

*できるだけ赤いリンゴを選ぶと、バラの花びら
を作ったときに赤い線が際立ち、仕上がりが美
しくなる。

彼がボックス席の小さな棚の上に置いていくんですよ。プログラム
といっしょに。プログラムはわたしが持っていくんです。花が置い
てあったこともあります。バラの花でした。ドレスから落ちたんで
しょうね……ご婦人を連れてくることもありますから。扇を忘れて
いったこともあるんですよ。 —— マダム・ジリーの台詞

バラの花は怪人の名刺として知られています。ゴーダチーズと飴
色になるまでじっくり炒めたタマネギ、リンゴで作ったバラの花をあし
らったタルトレットで間違いなく彼の心を射止められるでしょう。

作り方

1. オーブンを180℃に予熱。打ち粉をした台に生地を取り出し、
   3mmの厚さに伸ばしてから、直径10cmの円を抜く。

2. マフィン型にまんべんなくオイルをスプレーし、円形の生地をマ
   フィン型の底に敷き、フォークで2箇所穴を開ける。詰め物をせ
   ずにオーブンで10分焼く。完全に冷めるまで待つ (マフィン型から取
   り出さない)。

3. 冷めるのを待つあいだに、タマネギを薄い輪切りにする。大き
   めのスキレットを弱めの中火にかけ、オリーブオイルを熱する。
   タマネギを加え、完全に油がまわるまで炒める。蓋をし、ときどき
   きかき混ぜながら、タマネギが軟らかくなり、透きとおってくる
   まで15～20分火にかける。

4. 強めの中火に上げ、塩と砂糖を加え、炒める。タマネギが飴色
   になったら、火から下ろす。

5. ゴーダチーズを厚さ5mm、直径5cmほどに切り、タルト生地の
   底に敷く。より簡単な方法として、ゴーダチーズを角切りにして
   敷いてもいい。

6. ゴーダチーズの上に飴色のタマネギをそれぞれ1～2枚のせる。

7. リンゴを4等分し、種を取り除く。それをスライサーで薄くスラ

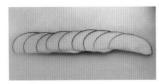

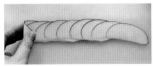

イスする。スライスしたものからボウルに入れ、レモン汁を数滴
ずつ何回かに分けてたらし、茶色に変色するのを防ぐ。

8. まな板にレモン汁をかけ、スライス10枚を重なるように一列に
並べる。このとき、半分重なるように置くのが美しいバラを作る
秘訣（構造的に安定する）。端からゆっくりくるくる巻いていく。スラ
イスの厚さが均一ではなく、片方が薄くなっていたら、薄くなっ
ているほうを重ねないようにすると、巻きやすい。スライスした
ものを少し下向きに並べると、巻いたときに中央の「花びら」
になる部分が少し高くなり、よりバラらしく見える。＊＊

＊＊リンゴのスライスを巻いているときに破れてしまったら、きつく巻きす
ぎている証拠。最初の2、3枚をゆるめに巻くようにすると、完成したバラ
の花の中央に隙間ができる。タルト生地の中に置いてから、バラの花の中央
にスライスを1、2枚差し込んでもOK。

9. タルト生地の中央に形が崩れないように注意しながらバラの花
を置く。同様にして残りの分を作る。

10. リンゴのスライスに完全に火が入り、チーズがとろけるまでオー
ブンで10〜15分焼く。最後の数分間はリンゴの花びらの端が
焦げないように様子を見ること。

11. オーブンから取り出したら、マフィン型に入れたまま5分置く。
そのあと、バターナイフで取り出して、皿に盛りつける。

最愛の人に1ダースの食べられるおいしいバラの花を捧げよう！

セイヴォリー・ストロベリー・エクレア

26個分

>>> シュー生地
バター……120g
水……1⅛カップ(240ml)
小麦粉……1⅛カップ
卵……4個

>>> 詰め物
高品質のバルサミコ酢(モデナ産)……1⅛
カップ
イチゴ(4等分しておく)……450g
塩　　小さじ¼
リコッタチーズ……1⅛カップ
ピスタチオ(粗く砕いておく)……⁹⁄₁₀カップ
ミントの葉(飾り用)

あの夜、怪人は招待されてもいないのに、支配人のディナーの席に本当に座っていたのだろうか？　本当にオペラ座の怪人だったのだろうか？　そう断言できる者がいるのだろうか？

　フランス風のエレガントなお菓子のような見た目のセイヴォリー。ローストしたイチゴとバルサミコ酢の甘酸っぱさ、生のミントとホイップしたリコッタチーズの爽やかな風味が絶妙のバランス。

作り方

1. シュー生地を作る。200℃に予熱。2枚の天板にクッキングシート、またはシリコンマットを敷いておく。

2. 中くらいのソースパンにバターと水を入れ、弱火にかけてバターを溶かす。中火に強め、沸騰したら火から下ろし、小麦粉をいっきに注ぐ。シリコン製のゴムベラで手早くかき混ぜ、再び火にかけ、絶えずかき混ぜながら中火で2分間加熱する。火から下ろし、中身を大きめのボウルに移す。卵を一度に大さじ1ずつ加えながら、ハンドミキサーの中速でなめらかになるまで攪拌する。

3. 絞り出し袋に約1cmの丸口金をつけ、2の生地を詰める。

4. 最低4cm間隔を空けて、天板1枚につき10cmのエクレアを13個絞り出す。2枚の天板をオーブンの上段と下段に入れ、20分焼く。温度を180℃に下げ、天板の位置と向きを変え、さらに20分焼く。オーブンに入れたまま10分休ませ、ケーキクーラーに移して冷ます。

5. 詰め物の準備をする。バルサミコ酢を煮詰める。小さめのソテーパンにバルサミコ酢を入れ、中火で熱して、沸騰したら、弱めの中火に落として、わずかにとろみがつくまで、15分煮詰める(大さじ6〜8くらいの量になる)。火から下ろし、ソテーパンに入れたまま約15分、常温になるまで置いておく。

6. イチゴをローストする。オーブンを200℃に予熱。イチゴに塩を振り、あえてよくなじませてから、薄く油を塗った天板に広げ、途中でかき混ぜながら20分焼く。イチゴが軟らかくなり、若干黒ずんだらミキサーに移し、なめらかになるまで攪拌しておく。

7. エクレアを横半分に切っておく。リコッタチーズをふんわりするまで1分間、泡だて器でかき混ぜる。大きめの丸口金をつけた絞り出し袋に移す。エクレアの下半分にリコッタチーズを小さじ1½ほど絞る。小さじ1のピスタチオを散らす。

8. イチゴソースを小さじ1ずつエクレアにのせる。エクレアのもう半分をのせ、そっと押してくっつける。

9. エクレアの上にバルサミコ酢を煮詰めたものを（エクレア1個につき小さじ¼程度）かける。最後に小さなミントの葉を飾る。

仮面舞踏会にどうぞ！

チョコレート・ストロベリー・オペラケーキ

約9×23cmのケーキ1個分

>>> ジョコンド
[フランス菓子の基本の生地]
バター……30g
アーモンドフラワー……⅞カップ
粉糖……⅞カップ
中力粉……大さじ2
卵（軽く溶いておく）……3個
卵白……4個分
グラニュー糖……大さじ1½

>>> バタークリーム
バター（軟らかくしておく）……180g
粉糖……3⅜カップ（分けて使用）
アーモンド・エキストラクト…小さじ1½
牛乳……大さじ3（分けて使用）

>>> ガナッシュ
ホイップクリーム……⅜カップ＋大さじ2
（分けて使用）
セミスイート・チョコレートチップ…2⅖
カップ

>>> イチゴシロップ
255ページのレシピを参照

>>> 飾り
小粒のイチゴ（葉を取り除いておく）……9粒

>>> 特別な道具
ウィスクのアタッチメント

ある日、わたしは機会をうかがうのにうんざりし、石を動かしてみた。すると、素晴らしい音楽が聞こえてきた。怪人は家のドアというドアをすべて開け放ち、『勝ち誇るドン・ジョヴァンニ』を演奏していた。彼の人生の集大成だとわかった。わたしは音をたてないようにじっとしていた。

この退廃的なデザートに怖気づかないでください。作ってみれば意外に簡単、各要素のレシピはわかりやすく、多少の誤差も許されます。成功の秘訣は、クリームを端から端まできっちり、きれいに塗り、層を重ねていくたびに、ケーキが平らになっているか確認することです。

作り方

1. ジョコンドを作る。オーブンを220℃に予熱。約25×40cmの天板にクッキングシートまたはシリコンマットを敷いておく。バターを小さめの耐熱ボウルに入れ、電子レンジで加熱して溶かす。

2. 中くらいのボウルにアーモンドフラワー、粉糖、中力粉をふるい入れ、溶き卵を加えてフォークでよくかき混ぜておく。

3. ウィスクのアタッチメントを取りつけたスタンドミキサーのボウルに卵白を入れ、中速で約2分、軽く角が立つまで攪拌する。ミキサーを動かしたままグラニュー糖を加え、攪拌する。スピードを最高速に上げ、約3分、角がピンと立つまで攪拌する。

4. 2の半量を3のメレンゲにそっと加え、ゴムベラでさっくり混ぜる。残りの2を加えて混ぜ、さらに溶かしたバターを加え、混ぜる。

5. 準備しておいた天板に4を流し入れる。大きめのフロスティングナイフで均一にならす。

6. 約8分焼く。生地を指で軽く押して、戻ってくればOK。オーブンから取り出し、ケーキクーラーに敷いたシリコンマットの上

にひっくり返してのせる。下に敷いていたクッキングシートまたはシリコンマットをはずし、冷ます。

7. バタークリームを作る。大きめのボウルにバターを入れ、ハンドミキサーの中速でなめらかになるまで攪拌する。粉糖1⅓カップをふるい入れ、ふんわりするまで攪拌する。アーモンド・エキストラクトと牛乳大さじ1を加え、攪拌する。残りの粉糖と牛乳を交互に加え、完全に混ざり合うまで攪拌する。

8. ガナッシュを作る。小さめのソースパンに半分まで水を入れ、強めの中火にかけて沸騰させる。別の小さめのソースパンでホイップクリーム⅗カップを弱火で熱し、湯気が立ちはじめたら、火から下ろす。チョコレートを耐熱ボウルに入れ、ソースパンの沸騰している湯の上にのせ、火を消す。チョコレートに湯気の立ったクリームを注ぎ、3分置く。なめらかになるまで泡だて器でかき混ぜておく。ソースパンの湯はあとで使う。

9. ジョコンドを横に4つ (9cm幅) に切る。必要ならば、余分な部分を切り取る。

10. ケーキを組み立てる。ジョコンド1切れをスポンジ状の面を上にしてクッキングシートを敷いたケーキクーラーの上に置く。刷毛でイチゴシロップを大さじ3塗る。その上にバタークリーム⅖カップをのせ、均一に伸ばす。＊

＊ケーキと同じサイズにクッキングシートをカットし（片側に2.5cmの縁をつける）、ケーキを組み立てる前に、最初の層の下に敷くと、ケーキを切るときにケーキクーラーから移しやすい。

11. ジョコンドをもう1切れのせ、イチゴシロップとバタークリームを塗る。ガナッシュを大さじ5すくい、上に均一に塗り広げる。

12. ジョコンドをもう1切れのせ、シロップとバタークリームを塗る。その上に最後のジョコンドをのせ、最後のシロップを塗っておく。

13. 8のソースパンで沸かした湯を沸かし直し、火から下ろす。その上にガナッシュの入ったボウルをのせて湯せんし、ホイップ

クリームを大さじ2加え、泡だて器でよくかき混ぜる。ガナッシュが薄まり、チョコレートグレーズになる。

14. ケーキの上にグレーズをかけ、フロスティングナイフで均一に塗り広げる。

15. おおいをしないで冷蔵庫で45分、グレーズが固まるまで冷やす。残りのバタークリームを2等分して、片方は中くらいのサイズの星形の口金をつけた絞り出し袋に、もう片方は文字を描く用の口金をつけた絞り出し袋に入れる。

16. ケーキの横を切り取り、層になった断面を見せる。9つ（幅2.5cm）にスライスする。切るたびに、フロスティングナイフの刃を拭く。

17. ケーキの片端に絞り出し袋の星形の口金からフロスティングをひと絞りする。その上にイチゴを飾る。文字を描く用の口金から、もう片端にト音記号を絞り出す。

怪人にオペラを完成させたお祝いとして！

MEMO このレシピは工程が多いので、保存できるものは前もって少しずつ作っておくことをお勧めする。イチゴシロップとバタークリームは3日前から作っておくことが可能。シロップは冷蔵庫で、バタークリームは常温で保存。ジョコンドは2日前から作っておくことができる。保存する際には、シリコンマットにのせたまま、ラップをきっちり巻く。

チョコレート・ストロベリー・オペラケーキ

冬のワンダーランドの
お菓子

『雪の女王』

ハンス・クリスチャン・アンデルセン著

「冬の夜、女王はよく町の通りを飛びまわって、家の窓をのぞくんだよ。
すると、不思議なことに窓が凍りついて、花のように見えるのさ」

MENU

フライド・スノーボール

20個分

ジャガイモ(ユーコンゴールド)……4個
塩……小さじ1(分けて使用)
卵……2個(分けて使用)
パン粉……1⅓カップ
シャープ(酸味が強く、味の濃い)・チェダーチーズ……⅗カップ
青ネギ(小口切りにしておく)……³⁄₁₀カップ
ベーコンビッツ……大さじ3
黒コショウ……小さじ¼
植物油(揚げ油)

雪片はどんどん大きくなり、ついには、大きな白い雄鶏くらいの大きさになりました。すると突然、片側にはじけ、大きなソリが止まり、ソリに乗っていた人が立ちあがりました……。雪の女王でした。

ローデッドポテト[フライドポテトの上に具やソースをたっぷりのせた料理]から、このつまんで食べられる「スノーボール」を思いつきました。衣に一般的なパンを削ったものではなく、日本のパン粉を使うことでカリッとした食感が得られます。

作り方

1. ジャガイモの皮をむいて、4等分する。中くらいの鍋にジャガイモの2.5cm上まで水を入れる。小さじ½の塩を入れ、強めの中火で沸騰させる。フォークを刺してすっと通るまで10分煮る。火から下ろし、湯を切る。

2. 茹でたジャガイモを大きめのボウルに移し、粒がなくなるまで完全につぶす。ときどきかき混ぜてこもった熱を逃がしながら、常温になるまで20分冷ます。

3. 小さめのボウルに卵1個を割り入れ、フォークでかき混ぜておく。別のボウルにパン粉を入れておく。

4. ジャガイモの粗熱が取れたら、もう1つの卵、チーズ、青ネギ、ベーコンビッツ、コショウ、残りの塩を加え、よく混ぜ合わせる。

5. 4を4cm大の球状にまとめる。

6. 中くらいのソースパンに植物油を入れ、弱めの中火にかける。油が適温に達するまでの時間は、鍋の材質や大きさによって異なる(低い温度で熱すると適温になるまで時間はかかるが、扱いやすい)。揚げ物の適温は180〜190℃。このレシピでは、低いほうの温度が好ましい。料理用の温度計がない場合は、パン粉を数片入れてみて、すぐにジューッと言えばOK。はねるのは温度が高すぎる証拠。

7. 油の準備ができたら、球状に丸めたジャガイモを転がすように

して、溶き卵、パン粉の順で衣をつける。一度に3個ずつ油に入れ、こんがりきつね色になり、完全に火が通るまで揚げる。試しに1個を半分に切って火の通り具合を確認すると、必要な時間がわかる（ジャガイモに完全に火を通す）。穴開き大型スプーン、またはトングで油から上げ、ペーパータオルを敷いた皿に移して油を切る。油が適温に戻るまで数分待ってから、次の分を揚げる。

白熱した雪合戦のあとにアツアツをどうぞ!

セイヴォリー・スノーフレーク・ブレッド

約30cm1個分

スイートオニオン……3個
オリーブオイル……大さじ1
バター……45g
塩……小さじ1
市販の缶入りクロワッサン生地……4缶
(1缶約230g)
イチジクジャム……約260g
グリュイエールチーズ（おろしておく）…90g
卵(大さじ1の水を加えて溶いておく)……1個

雪片はどんどん大きくなり、ついには若い女性の姿になりました。身にまとっている真っ白な薄い衣が、星のようにきらきら輝く雪の粒を何百万も集めて作ったように見えました。とても美しく、優雅な女性でしたが、体はまばゆいほど輝く氷でできていました……。

　雪片の「枝」に当たる部分をねじって、中にたっぷり詰まったものをあえて見せるデザインにしました。

作り方

1. オーブンを180℃に予熱。約29×43cmの天板にオイルをスプレーしておく。

2. スイートオニオンの皮をむいて、半分に切り、薄くスライスしておく。大きめで深いソースパンにオリーブオイルとバターを入れ、弱めの中火で熱してバターを溶かす。スイートオニオンを入れ、ときどきかき混ぜながら透きとおって軟らかくなるまで30分炒める。塩を加え、さらに35～45分、飴色になり、ジャムのように軟らかくなるまで炒める。焦げつかないように、鍋から目を離さず、頻繁にかき混ぜる。火から下ろしておく。

3. 大きめのまな板に打ち粉をして、クロワッサン生地の缶を開ける。生地に入ったミシン目を指でならして、切れないようにする。生地の表面に打ち粉をして、約28×30cmの長方形に伸ばす。直径25cmの円を切り抜く。円をそっと半分に折り、天板に移す。生地を円に広げ、イチジクジャム85g、飴色タマネギ⅓、グリュイエールチーズ30gを、円全体に塗り広げる。生地の端まで塗る。

4. 手順3を、あと2缶分繰り返し、イチジクジャム、飴色タマネギ、チーズを塗り広げた生地を、3枚分重ねる。最後に残った缶を開け、同様に円を作ったら、3枚重ねた上にのせる。生地の中心に直径2.5cmの円を残すイメージで、全体が10等分になるよ

うに放射状に切り込みを入れる。

5. 10等分した生地の1つをつかんで、そっと2回ひねり、中央部分がつながったまま、切り込みを入れた部分が離れるようにする。

6. 残りの部分も手順5を繰り返す。パンの表面に卵液を塗り、こんがりきつね色になるまで30分焼く。温かいうちに刃の長いナイフをパンの下に差し入れ、天板から離す。そのまま10分休ませてから、盛り皿に移す。

雪の女王の宮廷でどうぞ!

ゲルダのチェリー・タルト

30個分

カマンベールチーズ……約90g
市販の貝形ミニタルト生地……30個
アメリカンチェリーのプリザーブ……
$\frac{3}{5}$〜$\frac{9}{10}$カップ
バジルの葉……大2〜3枚

テーブルの上には見るからにおいしそうなチェリーが置いてありました。ゲルダは好きなだけ食べていいと言われたので、そうしました。そのあいだ、おばあさんはゲルダの髪を櫛でとかしました。

『雪の女王』で強く印象に残っているのがチェリーです。そこで、クリーミーなカマンベールチーズと、甘酸っぱいアメリカンチェリーの砂糖煮をのせた小さなタルトを作りました。バジルの香りも爽やかです。わずか数分で大勢のお客さまに出せるこんなエレガントな前菜が作れます。

作り方

1. オーブンを160℃に予熱。カマンベールチーズを長さ2.5cm、幅5mmに小さく切り、30個分作っておく。

2. 油を塗っていない天板に貝形のタルト生地15個を等間隔に並べる。それぞれにチーズを置き、その上にアメリカンチェリーのプリザーブをのせる。15分焼く。

3. 手順2を繰り返し、残りの生地もチーズとプリザーブをのせて焼く。

4. バジルの葉を重ねて、葉の下の部分からきつく巻いていき、横に細く切る。それをタルトの上に振りかける。

5. 天板にのせたまま最低でも10分冷ましてから出す。

友情で氷のかけらを溶かしてあげよう!

鏡のかけらのミニアイスクリームケーキ

10個分

ショートブレッドクッキー（砕いておく）……
1⅛カップ
アーモンド（砕いておく）……大さじ2½
無塩バター（溶かしておく）……30g
バニラビーンアイスクリーム……3カップ
アマレット[アーモンドの香りのするリキュール]
……大さじ2½
フルーツ味のハードキャンディ（ブルーラ
ズベリー味）……10個
冷凍ホイップクリーム（トッピング用。解凍して
おく）……約230g

　悪魔の弟子たちはぐんぐん上昇し、どんどん神さまと天使のいるところに近づいていきました。すると突然、鏡がしかめっ面になってひどく震え出しました。そして悪魔の弟子たちの手から離れて地上に落ち、何千万、何億、あるいはそれ以上の数のかけらとなりました。

　『雪の女王』の破滅をもたらす鏡をお菓子で再現。皮は焼かずにショートブレッドクッキーを利用。詰め物は、アマレット風味のバニラビーンアイスクリーム、キャンディを割れた鏡のかけらに見立て、凍りついた心も溶かしてしまう冷たいおやつを作りました。

作り方

1. カップケーキの型に敷き紙を敷いておく。中くらいのボウルにショートブレッドクッキーを砕いたもの、アーモンドを砕いたもの、溶かしバターを入れ、フォークでよく混ぜ合わせる。

2. 1をそれぞれのカップケーキの型に大さじ2ずつきっちり詰め、平らにする。30分凍らせる。

3. 中くらいのボウルにアイスクリームとアマレットを入れ、ハンドミキサーの中速でなめらかになるまで攪拌する。攪拌した液を⅓ずつカップケーキの型に入れる。1時間冷凍する。

4. オーブンを180℃に予熱。天板にクッキングシートを敷き、ハードキャンディを約1cm間隔で並べる。キャンディが溶けるまで、7分焼く。オーブンから取り出して、冷ます。スプーンの柄の端を使って溶けたキャンディを約8cm間隔で叩く（粉々にはならないように）。

5. 絞り出し袋に大きめの星形の口金をつけ、解凍したホイップクリームを詰める。アイスクリームケーキにクリームを絞り出し、てっぺんにキャンディのかけらを3個ずつのせる。出すまで冷凍庫に入れておく。

雪の女王に差しあげて、凍りついた心を溶かしてあげよう！

祝祭日の飲み物

祝祭日（ホリデー）を祝う特別な料理には、それに合う特別な飲み物が必要です。
ここで紹介するのはお祝いにふさわしい飲み物です。
冬の寒さで冷えた体を温めてくれるジョー・マーチのホットココアミックス、
ポーの二度とない（ネバーモア）カクテルを作っておけば、
ハロウィーンパーティーに大勢のお客さまがやってきても大丈夫。
そして、新年はスパークリング、わたしを飲んで（ドリンク・ミー）パンチで迎えましょう。
どのレシピも簡単に、しかも大量に作れるのが最大の魅力です！

わたしを飲んでパンチ
ルイス・キャロル著『不思議の国のアリス』より

10⅘カップ(約2ℓ)分

レモネード(冷やしておく)……3⅗カップ
(720ml)

ザクロジュース(冷やしておく)…3⅗カップ
(720ml)

レモンライムソーダ、またはリースリング
ワイン(冷やしておく)……3⅗カップ(720ml)

レモンのスライス(飾り用)

今度は小さな瓶がありました……。瓶の首にメモがくくりつけられていて、「わたしを飲んで」と、大きな美しい文字が印刷してありました。

　大晦日のパーティーでひと晩中カクテルを作るはめになるのはいやですよね。このレシピはかき混ぜるだけなので、パーティーが始まる直前に大量に作っておけます!

作り方

1. 飾り用のレモンのスライスを除くすべての材料を大きめのパンチボウルかピッチャーに入れ、かき混ぜる。お好みのサイズのグラスに注ぐ。レモンのスライスの外側の皮の端から中央にかけて切り込みを入れ、グラスの縁に飾る。

　誕生日じゃないパーティー……または大晦日のパーティーに!

ジョー・マーチのホットココアミックス

L・M・オルコット著『若草物語』より

パウダー5$\frac{7}{10}$カップ

(調整ココア22$\frac{4}{5}$カップ)分

・・・・・・・・・・・・・・・・・・・・・・・・・・・・・・・・・・・・・・

粉乳……2$\frac{2}{5}$カップ

粉糖……2$\frac{1}{10}$カップ

ココアパウダー……1$\frac{1}{5}$カップ

ジンジャーブレッド・マシュマロ(248〜249ページ参照)

「あなたはお友だちの分を少し取っておかなければいけません。大好きなお友だちにはお菓子をあげましょう、坊や」と言って、ベア先生はジョーにもチョコレートを差し出した。ジョーは先生の表情に見とれ、チョコレートは美と不老不死をもたらすとされる神酒なのではないだろうかと思った。

祝祭日にお客さまに出しても、メイソンジャーに入れてプレゼントしても喜ばれるでしょう。ホットココアはこの本で紹介する自家製マシュマロと相性抜群です。特にジンジャーブレッド風味（248〜249ページ参照）がお勧めです。

作り方

1. 中くらいのボウルにすべての材料を入れてよくかき混ぜ、密閉容器に移す。

2. 飲むときには、1のココアミックス$\frac{3}{10}$カップに対し、温めた牛乳1$\frac{1}{8}$カップ（240ml）を注ぎ、よくかき混ぜる。牛乳は小さめのソースパン*で、弱めの中火で絶えずかき混ぜながらふつふつしてくるまで熱する。

   *鍋を洗うのが面倒な場合は、電子レンジで牛乳を温める。その際は必ず耐熱性マグカップを使い、膜が張るのを防ぐために途中でかき混ぜながら、1〜2分加熱。牛乳に湯気が立ったら、ココアミックスに注ぎ、よくかき混ぜる。

マーチ姉妹に！

怪人のバラ

ガストン・ルルー著『オペラ座の怪人』より

1杯分

ローザ・リーガル・レッドワイン[イタリア産
のワイン](冷やしておく)……90ml
トリプル・セック[オレンジの皮で作られるフル
ーツ系のリキュール](冷やしておく)……45ml
ブラッドオレンジ・ビターズ[さまざまな材料
を蒸留酒に漬けて作る苦く、香りの強いアルコール
飲料]……30ml
オレンジのスライス*……1枚

*オレンジの直径は必ずグラスにおさまるサイズ
に。小さめのオレンジを使うか、オレンジをスラ
イスするときに、真ん中の膨らんだ部分ではなく、
端の部分をスライスするといい。

>>> 特別な道具
料理用バーナー

朝、雪の中で咲いた見事な赤いバラだった。死者のあいだで生の
ささやかな光を放っていた。

オレンジのスライスを黒く焦がしたのには理由が2つあります。ビ
ジュアルのインパクトを狙ったのはもちろんですが、シトラス系の甘
いドリンクにスモーキーなフレーバーでアクセントをつけるためです。

作り方

1. ワイン、トリプル・セック、ブラッドオレンジ・ビターズをワイ
ングラスに入れ、かき混ぜておく。

2. 火が燃え移りにくい、キッチンのカウンター（御影石など）の上で
料理用バーナーを使ってオレンジのスライスの表面を焼く。料
理用バーナーを使用する際には安全に注意し、製品に書かれて
いる指示に従うこと。オレンジのスライスの焦がした面を上にし
て、グラスに浮かべる。

パリのオペラ座で公演を終えたプリマドンナへ！

祝祭日の飲み物

ポーの二度とないカクテル

エドガー・アラン・ポー 作『大鴉』より

1杯分

ブルーベリー……³/₁₀カップ
バジルの葉……大2枚
氷……³/₅カップ
スイートブルーベリーワイン……90ml
ブラックチェリージュース……60ml
アンゴスチュラ・ビターズ[トリニダード・トバゴのアンゴスチュラ製造のリキュール]…4振り

>>>特別な道具
シェイカー

大鴉は「二度とない」と言った。

　爽やかでほんのり甘い（甘すぎることはない）カクテルは、ハロウィーンパーティーや真夜中に詩を読むときにぴったりです。

作り方

1. カクテルシェイカーの底でブルーベリーとバジルの葉をかき混ぜる。
2. 氷を加える。ワイン、ブラックチェリージュース、ビターズを注ぐ。シェイカーを閉め、勢いよく振って混ぜ合わせる。
3. ワイングラスに注ぎ、お好みでブルーベリーとバジルの葉を飾る。

物寂しい真夜中に！

祝祭日の飲み物
238

パンプキンサイダー

ワシントン・アーヴィング著『スリーピー・ホローの伝説』より

7⅕カップ(約1.5ℓ)分

リンゴ(ふじ)……6個
リンゴ(グラニースミス)……2個
水……4⅘カップ(960ml)
オレンジ……1個
シナモンスティック……2本
八角……2個
カボチャシロップ(254ページ参照)……1⅕
カップ+味見用

>>> 特別な道具
スロークッカー
コランダー

どこを見まわしてもリンゴだらけ。イカボッドはこれほど大量のリンゴを目にしたことはなかった。木にたわわに実っているリンゴ、市場へ出すためにかごや樽に詰められ、アップルサイダーを造るためにうずたかく山積みにされているものもあった。

　今年の感謝祭はいつもと趣向を変え、伝統的なアップルサイダーに自家製のカボチャシロップを加えて、アレンジしてみましょう。スロークッカーで準備できるので手間もかからず、出しているあいだも保温できます。余ったシロップを瓶に詰めてプレゼントし、自宅でオリジナルドリンクを楽しんでもらうこともできます。

作り方

1. リンゴは芯をくりぬいて8等分、オレンジは皮をむいて4等分する。スロークッカーに入れ、シナモンスティックと八角、水を加える。

2. 蓋をして高温で5時間加熱したら、中身をコランダー(ボウル状のこし器)でこして大きめのボウルに移す。果肉は捨てる。カボチャシロップを入れ、よくかき混ぜる。味見をして、お好みでシロップを足す。おおいをして、冷蔵庫で30分冷やす。出すときは、液体をスロークッカーに戻して、低温で保温する。

寒い秋の宵にこれを飲んでお客さまに温まってもらおう!

祝祭日の飲み物

白の魔女の
ホワイトチョコレート・チャイラテ

C・S・ルイス著『ライオンと魔女と洋服だんす』より

4⅘カップ（960ml）分

- -

ティーバッグのチャイ……6袋
湯……4⅘カップ（960ml）
牛乳……⅗カップ（120ml）
ハチミツ……¾カップ
ホワイトチョコレートチップ……大さじ3

その温かい飲み物をすすりはじめると、エドマンドはだいぶ気分が
よくなった。今まで味わったことのないような味で、甘く、泡立っ
ていて、クリームのようになめらかで、足先まで温まった。

　C・S・ルイスは『ライオンと魔女と洋服だんす』で、白の魔女が
初めてナルニア国にやってきたエドマンドに何を飲ませたのか具体
的には書いていません。わかっているのは、それが「甘く、泡立っ
ていて、クリームのようになめらか」ということだけ。でも、これは
チャイラテのことですよね？　チャイラテを完璧に表現しています。こ
のレシピでは特別な飲み物にするためにホワイトチョコレートを加え
ました。

作り方

1. やかんで沸かした熱湯にティーバッグを7分浸ける。そのあいだ
   に、牛乳を耐熱性ボウル、またはマグカップに入れ、電子レン
   ジで約30秒加熱する。

2. 温めた牛乳にハチミツとチョコレートチップを入れ、チョコレー
   トが溶けるまでかき混ぜる。

3. 7分たったら、ミキサーにチャイを移す。2の牛乳液の半量を入
   れ、1分撹拌する。残りの半量を加え、さらに1分撹拌する。

これを飲んで、アダムとイブの子孫たちに温まってもらおう！

悪い魔女のパンチ

ライマン・フランク・ボーム著『オズの魔法使い』より

12カップ(2.4ℓ)分

キウイフルーツ……小8個
レモン汁(生のレモン約8個から搾っておく)
……1⅛カップ
ジンジャーエール(冷やしておく)……9⅗
カップ(1920mℓ)
砂糖……1½カップ

≫≫ 特別な道具
ステンレス製のこし器(ストレーナー)

わたしはもうすぐ溶けてなくなる。城はおまえのものだ。わたしは悪のかぎりを尽くしてきたが、おまえのような小娘に溶かされて最期を迎えるとは夢にも思わなかった。

　甘酸っぱく、アクセントのきいた味が面白いうえに、簡単に作れて、飲みやすいパンチ。西の悪い魔女の消滅を祝って祝杯をあげましょう!

作り方

1. キウイフルーツの皮をむき、輪切りにする。ミキサーにかけ、液体状になるまで撹拌する。ストレーナーでこし、ボウルに移す。

2. 1と残りのすべての材料を大きめのピッチャーに入れ、砂糖が溶けるまでかき混ぜる。

悪い魔女が滅びたことを祝って!

季節のおいしい贈り物

これはあくまでもわたし個人の意見ですが、
贈り物でいちばん喜ばれるのは食べ物だと思います。
消費できるので、「モノはもういらない」という家族や友人に贈るのに最適です。
お店で買ったものよりも費用対効果が高いという利点もあります。
ここで紹介するレシピを組み合わせ、プレゼントを増やすこともできます。
例えば、自家製マシュマロにココアミックス、または、
味や香りを染み込ませたさまざま種類のインフューズド・シュガーや
ハニーを少量ずつ、パンにフレーバーバターもいいですね。
クリスマスのプレゼントとして特にお勧めですが、
季節を問わず使えます。

クルミのキャラメリゼ

1⅕カップ分

クルミ（刻んでおく）……1⅕カップ
ハチミツ……大さじ3
アップルパイ・スパイス……小さじ½
塩……小さじ¼
バニラ・エキストラクト……小さじ¼

甘いけれど、ヘルシーなものを贈りたいという方にお勧めのレシピです。砂糖はいっさい使わず、代わりにハチミツを使っています。懐かしい味と手作りの素朴な感じがプレゼントにぴったりです。

作り方

1. オーブンを160℃に予熱。天板にアルミホイルを敷き、オイルをスプレーしておく。
2. 中くらいのボウルにすべての材料を入れ、よく混ぜ合わせる。混ぜ合わせたものをアルミホイルの上にかたまりを作らないようにできるだけ平らに並べる。
3. 途中で一度かき混ぜながら、10分焼く。
4. 天板にのせたまま冷ます（約15分）。冷ますと、コーティングが固まる。
5. クルミが完全に冷めたら、そっとアルミホイルからはがし、ひと口サイズに割る。

スパイスで味付けした松の実

⅗カップ分

松の実……⅗カップ
オリーブオイル*……小さじ1
ガーリックパウダー……小さじ¼
ローズマリーパウダー……小さじ¼
オニオンパウダー……小さじ¼
塩……小さじ¼

*オリーブオイルは大さじ1ではなく、小さじ1です！

このナッツは、リーキとジャガイモのスープ（パースニップとガーリック入り）（105ページ）、叩きつぶしたカボチャのスープ（121ページ）と相性抜群です。メイソンジャーなど密閉できる瓶に入れ、お客さまのおみやげにしてもいいでしょう。

作り方

1. オーブンを160℃に予熱。ボウルに松の実とオリーブオイルを入れ、よく混ぜ合わせる。塩とスパイス類を振りかけ、かき混ぜる。
2. 天板に松の実を均一に広げ、軽く焼き色がつくまで5〜7分、途中で松の実をかき混ぜ、天板の向きを変えながらローストする。天板にのせたまま冷ます。

フレーバーバター

120g分

有塩バター（軟らかくしておく）……120g

MEMO ボウルに入れたままプレゼントするのは気が引けるという方は、冷蔵庫で冷やし固め、円柱状に成形（手は必ず清潔な状態で）したものをパラフィン紙でくるみ、両端をひねってタコ糸やリボンで結び、パラフィン紙の中央にフレーバーの名前を書いたラベルを貼るといい。

93ページのレシピを参考にして一からバターを手作りすることもできます。93ページのレシピは、170gのバターができあがる分量です。一方、ここでは120gのバターを使用します。手作りのバターでフレーバーバターを作る際は、スパイスの分量を調整してください。

作り方

ハチミツバター　ボウルにバターとハチミツ大さじ1を入れ、なめらかになるまでかき混ぜる。24時間以内に使用しない場合は、ラップをして冷蔵庫に保存する。

レモンディルバター　ボウルにバター、レモン汁大さじ1、みじん切りにした生のディル大さじ2を入れ、かき混ぜる。ラップをして室温で3時間、または冷蔵庫でひと晩寝かせる。24時間以内に使用しない場合は、冷蔵庫に保存する。

ガーリックハーブバター　ボウルにバター、ニンニク2片のみじん切り、生のローズマリーのみじん切り小さじ1、生のタイムのみじん切り小さじ1を入れて、かき混ぜる。ラップをして室温で3時間、または冷蔵庫でひと晩寝かせる。24時間以内に使用しない場合は、冷蔵庫で保存する。

パルメザンチャイブバター　ボウルにバター、パルメザンチーズ大さじ2½、生のチャイブの小口切り大さじ2を入れ、かき混ぜる。ラップをして室温で3時間、または冷蔵庫でひと晩寝かせる。24時間以内に使用しない場合は、冷蔵庫で保存する。

ペストバター　生のバジル⅗カップ（計量カップにふんわりと入れて量る）、パルメザンチーズのすりおろし³⁄₁₀カップ、ローストした松の実大さじ2、小さめのニンニク1片をみじん切りにしたもの、レモン汁小さじ½、塩小さじ⅛、コショウ小さじ⅛をミキサーにかけて混ぜ合わせ、パンくず状になるまで撹拌する。オリーブオイル大さじ2を加え、なめらかになるまで撹拌。ボウルにバターとミキサーの中身を入れ、なめらかになるまでかき混ぜる。24時間以内に使用しない場合は、冷蔵庫で保存する。

フルーツカード

1⅕カップ分

冷凍ブラックベリー、または冷凍ブルー
ベリー、または冷凍ラズベリー……
約450g
レモン汁……大さじ2
砂糖……¾カップ
バター(軟らかくしておく)……30g
コーンスターチ……大さじ1

>>> 特別な道具
メイソンジャー(煮沸消毒しておく)……1個
(約300ml)
ステンレス製のこし器(ストレーナー)

このカードと254、255ページのフルーツシロップは、冷凍のフルーツを使うよう指定しています。シロップもカードもフルーツを煮て、残った皮や果肉を捨てることになるので、新鮮なものを使うよりもお得です。余っている生のフルーツがある場合は、それを使うこともできます。生のフルーツを使った場合、できあがりの量が³⁄₁₀カップ多くなります。

作り方

1. 中くらいのソースパンにベリー類、レモン汁、水大さじ1を入れて弱めの中火にかけ、ときどきかき混ぜながら、ベリー類が完全に解凍され、軟らかくなるまで煮る。ストレーナーでこす。ストレーナーに残った果肉をすくい取り、スプーンで押して果汁を残らず搾り出す。ストレーナーに残った皮や果肉は捨てる。ベリーの果汁をソースパンに戻し、中火にかける。砂糖とバターを加え、かき混ぜて溶かし、ときどきかき混ぜながら沸騰させる。小さめのボウルでコーンスターチを大さじ1の水で溶き、どろっとした液状になるまでかき混ぜる。それをベリー果汁に加え、絶えずかき混ぜながら、とろみがつくまで3分加熱する。

2. メイソンジャーに移し、ラップできっちり蓋をする。ラップが熱いカードに触れないように注意する。カウンターに15分置いて冷ます。ラップをはずして蓋を閉め、冷蔵庫で2時間冷やし、完全に冷ます。使うまで冷蔵庫で保存する。

自家製マシュマロ

約20×20cmの天板1枚分

冷水……³⁄₁₀カップ(60ml)+大さじ2
粉ゼラチン…大さじ1½または2袋(約7g)
常温の水……³⁄₁₀カップ(60ml)

マシュマロは買うよりも手作りすることを強くお勧めします。アレンジもしやすく、プレーンなバニラ味のマシュマロを四角にカットすれば、おしゃれなプレゼントになります。フレーバーを変えてみたり、クッキー型を使って形を変えてみるのも楽しいです。ジンジャーブレッドとミント味のレシピも紹介していますので、ぜひ参考になさってください!

コーンシロップ……³⁄₁₀カップ（60ml）＋
大さじ2
砂糖……⁹⁄₁₀カップ
塩……1つまみ
バニラ・エキストラクト……小さじ1½
コーンスターチ……³⁄₁₀カップ
粉糖……³⁄₁₀カップ
お好みの食要素

>>> 特別な道具
キャンディ用温度計

MEMO ジンジャーブレッド・マシュマロを作る
ときは、バニラ・エキストラクトをジンジャーパ
ウダー小さじ½、シナモン小さじ¼、オールス
パイス小さじ¼、グラウンドクローブ小さじ¼に
変えてください。

MEMO ミントのマシュマロを作るときは、バニ
ラ・エキストラクトをミント・エキストラクト小さ
じ1に変えてください。

作り方

1. 約20×20cmの天板にアルミホイルを敷き、オイルをスプレーしておく。

2. スタンドミキサーのボウルに冷水60mlと大さじ2を入れる。ゼラチンを振り入れ、そっとかき混ぜる。10分置いてふやかす。

3. そのあいだに、中くらいのソースパンに常温の水60ml、コーンシロップ、砂糖、塩を入れる。このときはかき混ぜない。強めの中火にかけ、115～120℃に達するまで（約10分かかる）、ときどきかき混ぜながら加熱する。

4. ゼラチンを低速で30秒攪拌し、粉々になったら、3の熱した砂糖の混合液をゆっくり注ぐ。鍋に触れて火傷をしないように注意する。速度を徐々に最高速まであげていき、ボウルの中身が白く透きとおり、ボウルに触れるとひんやりするまで（約10分間）攪拌する。バニラ・エキストラクト、お好みの食用色素を加え、攪拌してよく混ぜ合わせる。

5. ゴムベラにオイルをスプレーしてミキサーのボウルからマシュマロを手早くすくい取り、アルミホイルを敷いた天板に移して、素早く平らに広げる。

6. コーンスターチと粉糖を泡だて器でかき混ぜ、大さじ1杯分をマシュマロの混合物の上にふるう。ラップでふんわりおおい、ひと晩置く。

7. コーンスターチと粉糖を混ぜたものを約³⁄₁₀カップまな板にふるい、固まったマシュマロをひっくり返してのせる。ナイフ、またはクッキー型にオイルをスプレーして、好きな形に切ったり、抜いたりする。

8. 残りのコーンスターチと粉糖を混ぜたものをボウルに入れて、マシュマロとあえる。密閉できる大きめのプラスチックの袋に入れ、保存する。

ハチの巣キャンディ

約280g分

グラニュー糖……⁹⁄₁₀カップ
ハチミツ……³⁄₅カップ
コーンシロップ……³⁄₁₀カップ
アーモンドまたはバニラ・エキストラクト
……小さじ½
塩……小さじ⅛
重曹……小さじ1

>>> 特別な道具
キャンディ用温度計

このユニークでいい香りのするキャンディはおいしいのはもちろん、粉々に砕いて、プーのハニーレモンクッキー（135ページ）のトッピングにも使えます。

作り方

1. 約23×33cmのオーブン皿にクッキングシートを敷く。シートは皿よりも最低5cm大きく切ること。

2. 中くらいのソースパンの真ん中にグラニュー糖を入れる。その上にハチミツ、コーンシロップ、エキストラクト、塩を入れる。中火にかけ、150℃に達したら、火から下ろし、重曹をいっきに加え、泡だて器でよくかき混ぜる。＊

   ＊重曹が科学反応を起こしたり、熱せられた砂糖が吹きこぼれたりするおそれがあるので、火傷に注意する。

3. 用意しておいたオーブン皿にそっと2を注ぐ。クッキングシートが浮いてしまっても、生地の重みで底に張りつくので大丈夫。

4. 固まり、完全に冷めるまで45分休ませる。

5. スプーンで叩いて小さく割る。密閉できるプラスチックの袋に入れて保存する。

インフューズド・ハニー

170g分

ハチミツ……170g

>>> **特別な道具**
メイソンジャー（煮沸消毒しておく）……1個
（約240ml）

　ハチミツはただの甘味料ではありません。パンやチーズにかけたり、カクテルから鶏肉や魚の艶出しにまで使える万能調味料です。ラベンダー、シナモン、バーボンで味付けすることもできます！　下記にさまざまな利用法を紹介していますので、ぜひ参考になさってください。

作り方

バーボン・ハニー　ハチミツにバーボンウイスキー大さじ2を加え、よく混ぜ合わせる。メイソンジャーに入れ、蓋を閉める。
［使用法］お菓子作り。パンやチーズにつけて食べる。カクテル。鶏肉のグレーズ。

ガーリック・ハーブ・ハニー　メイソンジャーに大きめの生のローズマリーの小枝、大きめの生のタイムの小枝、皮をむいたニンニク3片を入れる。ハチミツを注ぐ。ハーブ類がハチミツに完全に浸かっていることを確認し、カウンターで瓶を軽く叩いて脱気する。蓋をきっちり閉める。ときどき瓶をひっくり返して1週間置き、清潔なスプーンで味見をする。満足できる味だったら、ハーブ類を取り出して、捨てる。そうでない場合は、2〜3日おきに味見を続ける。
［使用法］パンやチーズにつけて食べる。魚、鶏肉のグレーズ。ローストした野菜のグレーズ。

フローラル・ハニー　メイソンジャーにバニラ・エキストラクト小さじ1、食用のラベンダーのつぼみ大さじ2を入れる。ハチミツを注ぎ、蓋をきっちり閉める。ときどき瓶をひっくり返して1週間置き、清潔なスプーンで味見をする。満足できる味だったら、穴開き大型スプーンでラベンダーのつぼみをすくって取り出す。そうでない場合は、2〜3日おきに味見を続ける。
［使用法］お菓子作り。ローストした野菜のグレーズ。

スパイス・ハニー　メイソンジャーにシナモンスティック2本、八角2個、クローブの粒小さじ¼を入れる。ハチミツを注ぐ。スパイス類がハチミツに完全に浸かっていることを確認し、カウンターで瓶を軽く叩いて脱気する。きっちり蓋を閉める。ときど

き瓶をひっくり返して1週間置き、清潔なスプーンで味見をする。満足できる味だったら、スパイス類を取り出して、捨てる。そうでない場合は、2〜3日おきに味見を続ける。

[**使用法**]お菓子作り。飲み物の甘味料。パンやチーズにつけて食べる。オートミール、パンケーキ、ワッフルにかける。カクテル。鶏肉のグレーズ。

レモン・ジンジャー・ミント・ハニー　メイソンジャーに生のショウガ（皮をむいておく）45g、約2.5×5cmのレモンピール2切れ、生のミントの小枝大1本を入れる。瓶にハチミツを注ぐ。中身がハチミツに完全に浸かっていることを確認し、カウンターで瓶を軽く叩いて脱気する。きっちり蓋を閉める。ときどき瓶をひっくり返して1週間置き、清潔なスプーンで味見をする。満足できる味だったら、スパイス類を取り出して、捨てる。そうでない場合は、2〜3日おきに味見を続ける。

[**使用法**]飲み物の甘味料。カクテル。鶏肉のグレーズ。

インフューズド・シュガー

⅞カップ分

砂糖……⅞カップ

⋙例えばこんなものを加える
アールグレーの茶葉（ティーバッグから取り出す）……小さじ2
チャイの茶葉（ティーバッグから取り出す）……小さじ2
食用のラベンダーのつぼみ……大さじ2
レモン/ライム/オレンジの皮……大さじ1
フリーズドライのイチゴを細かく砕いたもの……大さじ2

⋙特別な道具
メイソンジャー（煮沸消毒しておく）……1個
（約240ml）

インフューズド・シュガーは大好きなお茶に入れて独特の風味を楽しんだり、お菓子を作るときに普通の砂糖に替えて使ったり、カクテルグラスの縁に飾りとしてまぶしてください。

作り方

砂糖とお好みの材料をボウルに入れ、よく混ぜ合わせる。メイソンジャーに移し、きっちり蓋を閉める。柑橘類の皮を入れた砂糖は冷蔵庫で保存する。ときどき瓶を振り、使用する前に少なくとも1週間は漬け込む。

ペストソース

これから紹介するバジルのペストソースとトマトのペストソースは、組み合わせるとクリスマスカラーのプレゼントになります。バジルのペストソースはハロウィーンのオズの魔法使いパーティーで、「溶けた魔女のペストソース」としてプレゼントするといいでしょう！

バジル・ペストソース

3/5カップ分

生のバジル（計量カップにふんわり詰めて量っておく）……1 1/5カップ
パルメザンチーズ（おろしておく）…3/5カップ
松の実（天板に並べ、160℃に熱したオーブンで3〜5分焼いておく）……3/10カップ
ニンニク（みじん切りにしておく）……小2片
レモン汁……小さじ1
塩……小さじ1/4
コショウ……小さじ1/4
オリーブオイル……大さじ6

作り方

オリーブオイルを除くすべての材料をフードプロセッサーに入れ、低速でよく混ぜ合わせ、とろみがつくまで攪拌する。オリーブオイルを数回に分けて加え、さらに攪拌する。

天日干し（サンドライ）トマト・ペストソース

1 1/5カップ強分

オリーブオイルに漬けた天日干しトマト……約227g
パルメザンチーズ……3/5カップ
松の実（天板に並べ、160℃に熱したオーブンで3〜5分焼いておく）……3/10カップ
レモン汁……小さじ1
ニンニク……1片
塩……小さじ1/4
コショウ……小さじ1/4

作り方

オリーブオイルからトマトを取り出し、オイルは取っておく。トマトとほかのすべての材料をフードプロセッサーにかける。低速でペースト状になるまで攪拌する。取っておいたオイルを3/10カップ加え、攪拌してよく混ぜ合わせる。風車サイクロン・ピザ（181ページ）に使うために作っているのなら、これ以上オイルは加えない（焼いているあいだに漏れてしまうのを防ぐためにオイルの量を減らす）。単にペストソースを作る目的なら、濃いソース状になるまで取っておいたオイルを加えつづける。

シロップ

シロップは何年も保存できるのでプレゼントにもってこいです。大量に作れるので、プレゼントをあげたい人全員に配ることができます。

ブルーベリーシロップ

1½カップ(300ml)分

冷凍ブルーベリー……約450g
水……1⅕カップ(240ml)
砂糖……⅗カップ

>>>特別な道具
ステンレス製のこし器(ストレーナー)

作り方

1. 中くらいの鍋にすべての材料を入れ、強めの中火で砂糖が溶けるまでかき混ぜる。沸騰したら弱めの中火に落とし、蓋をして、10分煮詰める。液体をボウルにこす(ブルーベリーをスプーンで押して、果汁を残らず押し出す必要はない)。ブルーベリーを捨てる。
2. 液体を鍋に戻し、強めの中火にかける。弱めの中火に落とし、ときどきかき混ぜながら蓋をしないでとろみがつくまで10分加熱する。密閉容器に移し、蓋をして使うまで冷蔵庫で冷やす。冷やすと若干とろみが強くなる。

カボチャシロップ

$2\frac{7}{10}$カップ(540ml)分

カボチャのピューレ……約220g
水……2⅖カップ(480ml)
ブラウンシュガー(計量カップにきっちり詰めて量っておく)……⅗カップ
グラニュー糖……⅗カップ
シナモン……小さじ1
ナツメグ……小さじ½
クローブ……小さじ¼
ショウガ……小さじ¼

>>>特別な道具
ステンレス製のこし器(ストレーナー)

作り方

1. 中くらいのソースパンにすべての材料を入れ、強めの中火にかけ、なめらかになるまでかき混ぜる。沸騰したら、弱めの中火に落とし、ときどきかき混ぜながら10分煮る。
2. 1をストレーナーで3回こす。こすたびにストレーナーに残った皮や果肉を捨てる。こした液体を密閉容器に移す。蓋をして使うまで冷蔵庫で保存する。*

*カボチャシロップは、フレーバーづけにパンプキンパイ・スパイスではなく本物のカボチャのピューレを使用しているので、冷蔵庫で保存する。固まると、シロップとカボチャがわずかに分離する可能性があるが、味にはまったく影響がない。プレゼントする際には、不透明、または色付きのガラス瓶に入れるといい。

イチゴシロップ

1 4/5カップ(360ml)分

冷凍イチゴ……約450g
水……1 1/5カップ(240ml)
砂糖……3/5カップ

>>>特別な道具
ステンレス製のこし器(ストレーナー)

作り方

1. 中くらいの鍋にすべての材料を入れ、強めの中火にかけ、砂糖が溶けるまでかき混ぜながら沸騰させる。弱めの中火に落とし、蓋をして10分煮詰める。イチゴから出た液をボウルにこす(イチゴの実をスプーンで押して、果汁を出しきる必要はない)。
2. 液体を鍋に戻し、強めの中火にかける。沸騰したら弱めの中火に落とし、蓋をしないでときどきかき混ぜながらとろみがつくまで10分煮る。密閉容器に移す。蓋をして、使うまで冷蔵庫で冷やす。冷やすととろみが若干強くなる。

MEMO シロップを作るには生のフルーツを使うよりも冷凍のフルーツを使ったほうがお得。それでも、生のフルーツが使いたいという場合は、フルーツの量は同量で、水の量だけ3/5カップ増やす。できあがりのシロップの量も3/5カップ多くなる。

MEMO シロップのレシピでは、カードのレシピと違い、フルーツを煮詰めた液をこすときに、実をスプーンで押して果汁を出しきらないように指示している。理由は、シロップに皮や果肉が混入してにごりが生じ、透明度が下がるから。カードはとろみをつける材料としてコーンスターチや卵を使っていて、もともと不透明なので、その心配はいらない。

参考図書

● L・M・オルコット 『若草物語』 吉田勝江訳 KADOKAWA 2008年

● L・M・オルコット 『続 若草物語』 吉田勝江訳 KADOKAWA 2008年

● ハンス・クリスチャン・アンデルセン 『雪の女王 アンデルセン童話集』 山室静訳 KADOKAWA
2019年

● ライマン・フランク・ボーム 『オズの魔法使い』 河野万里子訳 新潮社 2011年

● ルイス・キャロル 『不思議の国のアリス』 河合祥一郎訳 新潮社 2010年

● チャールズ・ディケンズ 『クリスマス・キャロル』 村岡花子訳 KADOKAWA 2020年

● アーサー・コナン・ドイル 『エメラルドの宝冠』:『シャーロック・ホームズの冒険』に収録 石田文子
訳 KADOKAWA 2010年

● アーサー・コナン・ドイル 『技師の親指』:『シャーロック・ホームズの冒険』に収録 石田文子訳
KADOKAWA 2010年

● アーサー・コナン・ドイル 『五つのオレンジの種』:『シャーロック・ホームズの冒険』に収録 石田
文子訳 KADOKAWA 2010年

● アーサー・コナン・ドイル 『四つの署名』 延原謙訳 新潮社 1953年

● アーサー・コナン・ドイル 『恐怖の谷』 延原謙訳 新潮社 1990年

● E・T・A・ホフマン 『くるみ割り人形とねずみの王様』 種村季弘訳 河出書房新社 1996年

● ワシントン・アーヴィング 『スリーピー・ホローの伝説』:『リップとイカボッドの物語』に収録
齋藤昇訳 三元社 2019年

● Brian Jacques The Legend of Luke New York: Ace Books 2001

● Brian Jacques Loamhedge Illustrated by David Elliot New York: Fierbird 2003

● Brian Jacques and Sean Rubin The Rogue Crew New York:Philomel Books 2011

● Brian Jacques and David Elliot Doomwyte New York:Philomel Books 2008

● ガストン・ルルー 『オペラ座の怪人』 村松潔訳 新潮社 2022年

● C・S・ルイス 『ライオンと魔女と洋服だんす(ナルニア国物語1)』 河合祥一郎訳 KADOKAWA
2020年

● C・S・ルイス 『魔術師のおい(ナルニア国物語6)』 河合祥一郎訳 KADOKAWA 2023年

● C・S・ルイス 『夜明けのむこう号の航海(ナルニア国物語3)』 河合祥一郎訳 KADOKAWA
2021年

● ジャック・ロンドン 『白い牙』 深町眞理子訳 光文社 2009年

● A・A・ミルン 『プー横丁にたった家』 石井桃子訳 岩波書店 2000年

● A・A・ミルン 『クマのプーさん』 石井桃子訳 岩波書店 2000年

● エドガー・アラン・ポー 『アッシャー家の崩壊』:『ポー傑作集選1ゴシックホラー編 黒猫』に収録 河合祥一郎訳 KADOKAWA 2022年

● エドガー・アラン・ポー 『早すぎた埋葬』:『ポー傑作集選1ゴシックホラー編 黒猫』に収録 河合祥一郎訳 KADOKAWA 2022年

● エドガー・アラン・ポー 『赤き死の仮面』:『ポー傑作集選1ゴシックホラー編 黒猫』に収録 河合祥一郎訳 KADOKAWA 2022年

● エドガー・アラン・ポー 『大鴉』:『対訳ポー詩集アメリカ詩人選(1)』に収録 加島祥造編 岩波書店 1997年

● ブラム・ストーカー 『吸血鬼ドラキュラ』 平井呈一訳 東京創元社 1971年

● J・R・R・トールキン 『ホビット ゆきてかえりし物語』 山本史郎訳 原書房 2012年

● ローラ・インガルス・ワイルダー 『大草原の小さな家』 こだまともこ・渡辺南都子訳 講談社 1988年

● ローラ・インガルス・ワイルダー 『大きな森の小さな家』 こだまともこ・渡辺南都子訳 講談社 1988年

Illustration from Gettyimages

Photographs by Alison Walsh

A Literary Holiday Cookbook:

Festive Meals for the Snow Queen, Gandalf, Sherlock,

Scrooge, and Book Lovers Everywhere

by

Alison Walsh

Japanese translation rights arranged with Skyhorse Publishing, Inc.,

New York, through TuttleMori Agency, Inc., Tokyo

[著者]

アリソン・ウォルシュ
ALISON WALSH

料理ブロガー、シェフ、レシピ開発者、ライター。本好きで、本にインスパイアされて考案したレシピを紹介するウェブサイトを2014年に立ち上げる。この「不思議の国のアリソンのレシピ」(WonderlandRecipes.com)は人気サイトとなり、アメリカのTV局ABCの情報番組グッドモーニングアメリカのウェブサイトや、ハリー・ポッターのファンサイトMuggleNetで紹介され、レシピブック出版に至った。『世界の名作文学からティーパーティーの料理帳(A Literary Tea Party)』(原書房)は2019年Goodreads Choice Awardsの料理本部門で4位に入賞。夫とふたりの子どもたちとともにイリノイ州北部に住む。

[訳者]

白石裕子
YUKO SHIRAISHI

『秘密の花園』『小公女』を愛読書として育つ。その後『赤毛のアン』の翻訳で知られる村岡花子氏に憧れて、翻訳の道に。長年ロマンス小説の翻訳を手掛ける。

世界の名作文学から
ホリデーのごちそう料理帳
2024年1月29日　第1刷

［著者］
アリソン・ウォルシュ
［訳者］
白石裕子
［装幀］
和田悠里
［発行者］
成瀬雅人
［発行所］
株式会社原書房
〒160-0022 東京都新宿区新宿1-25-13
電話・代表　03(3354)0685
http://www.harashobo.co.jp/
振替・00150-6-151594

［印刷・製本］
シナノ印刷株式会社